デジタル一滴シリーズ

50代から始めるデジタル出版

定年で名刺を失う前に考えよう

著 鎌田純子

デジタル一滴シリーズ　刊行に寄せて

本には５００年の歴史があります。私たちは本を通じて、先人たちが書き残した経験や思想、文化や歴史を自分の知識としてきました。昔は本は知識の源であり、貴重な気付きを与えてくれる存在でした。読者と書き手の精神的な距離はとても近く、深いコミュニケーションを可能としていました。

しかし、いつの間にか出版は商売の手段となっていきました。読者は本の消費者となっていきました。書き手は自分の考えを共有できる人を探さなくなり、たくさん売ってくれる出版社を探すようになりました。デジタル出版が誕生した30年前は、まさに印刷の出版でその構図が完成した時期でした。

知恵を海に例えるならば、本とは一滴の雫のようなものです。一滴の雫だけでは海にはならない。山火事を消すことはできません。けれども、一滴の雫から、川が、海が生まれていきます。デジタルの一滴が世界中で知恵の海になっていくでしょう。はじまりは一滴の雫です。

デジタルが普及した今、もう一度、出版を自分自身の手に取り戻すために、このシリーズを出版していきたいと思います。

鎌田純子（ボイジャー）

はじめに

この本は、今50代真っ只中の方たちに向けて、デジタル出版の背景から個人での取り組み方までを書いた作品です。50代という世代のデジタル体験は非常に複雑です。パソコンが普及する一歩手前で社会人となり、携帯電話でメールのやり取りができるようになったら、突如スマートフォンを覚えねばならなくなりました。自分はデジタルに疎い、若者にはかなわない、いまさらデジタルなんて本当についてない、と考えるのも不思議ではありません。

しかし、ちょうど今、デジタル時代に壮年期を迎えた50代は、実はデジタル出版に最適な世代だと私は考えています。戦後、日本経済がもっとも柔軟に、そしてダイナミックに動いた時代、リーマンショック、グローバリズムの下でさまざまな挑戦をし、失敗・成功を自分の体験として持っています。50代の他には、海外市場開拓と海外市場撤退の両方を経験している世代はいないでしょう。50代は社会が興味を持つ抜群のネタを一番多く持っているのです。本を書くために必要なテーマを豊富に持っている世代なのです。その経験談を40代、30代へ語り継ぐことは、次の10年、20年を充実させる礎ともなるはずです。

なぜ、出版なのか？　本なのか？　すでにブログや「Facebook（フェイスブック）」、「X

（エックス、旧Ｔｗｉｔｔｅｒ）」にアカウントを持っておられるなら疑問に思うでしょう。ＳＮＳは自分が思い付いたことを手軽に発信するにはとても便利な方法です。一方、経験をまとめるのには向いていません。瞬間的につぶやくのはいいのですが、海の藻屑のようにものの数秒で他の発信に埋もれていって、集め直すことが困難です。自分の経験を形として残すには本が向いています。

経験は本にできます。デジタル技術が全てを変えました。インターネットと電子書籍の基礎を理解すれば、誰でも本を出版することができます。これからの日々の一部を経験の記録へ、創作活動へ割り当ててみてはどうでしょうか？

書くことは、労力、忍耐、努力を伴う活動です。何日もかけて数万文字を書いても一人の読者すら見つからないように思えるかもしれません。しかしあなたの本の読者は必ず世界のどこかにいます。

この本では、個人作家の実例、出版ビジネスの構図、デジタル出版の特徴などをもとに解説していこうと思います。

目次

カバーイラスト：もんくみこ
装丁・本文レイアウト：木村真樹
制作協力：株式会社丸井工文社
編集：渡部尚

第1章　名刺代わりの出版

DIGITAL PUBLISHING

自分だけのストーリーを

1日は24時間。誰でも同じだけの時間が与えられています。誰もがその時間の中に生きています。どんなに長くあるいは短く感じようとも、時間そのものに物理的な差はありません。どのように過ごすかは人それぞれです。旅行、スポーツ、バンド活動、会食、映画鑑賞、読書、勉強、園芸、仕事、育児、介護など、さまざまな過ごし方があります。中にはブログやSNSを書く方も、本を書く方もいます。

文章を書くことを生業とする作家、新聞や雑誌の記者は依頼されて文章を書きます。発表の場所もあらかじめ用意されています。しかし、個人の場合は違います。個人の方はなぜ本を書き始めたのでしょうか。ブログやSNSとは違うのでしょうか。

本章で最初にご紹介するのは、早期退職をきっかけにサラリーマンからキャリアコンサルタントへ転身した原沢修一さん、そして、定年後にギャラリー店主となられた加藤忠一さんです。

加藤さんは身の回りの風景を何百、何千と水彩画にしています。インターネットで「原沢修一」「加藤忠一」を検索してみてください。彼らの本が見つかるはずです。

30年前、本は出版社を経由して書店で販売するものでした。一般の方にはなかなか手を出せるものではありません。出版社の門はかなり狭く、文芸雑誌の新人賞を受賞するか、あるいはすでに名のある人の文章でなければ本になりません。自ら費用を負担して出版するという道もありましたが、100万円以上の費用がかかりました。

今は違います。本はデジタルのファイルとして制作されます。ネットを利用すれば誰かに読んでもらうことができます。出版前に入念に確認をし、自分が納得するまで作り込むこともできます。アマゾンやアップルの書店で出版することもできます。費用もそれほどかかりません。

自分自身でテーマを見つけ、事実に基づいて書き上げた作品は誰の真似でもない、著者だけのストーリーです。ご自分の生き方を誰かに伝えたいとき、本はとても役に立ちます。誰でもストーリーを持っています。オリジナルのストーリーは、ご自分を知ってもらうための道具となります。まさに名刺です。今、どのようなデジタル出版があるのでしょうか。ネットの活用方法も含めてご紹介していきたいと思います。

CASE STUDY 1

早期退職の実体験を出版

『あゝ定年かぁ・クライシス』（原沢修一）

ダメになった姿を人に言えない

原沢修一さんは大学を卒業後、順調な人生を歩んできました。就職し、数度、転職をしましたが、いずれの会社でも仕事ぶりが認められ、昇進していきました。私生活も夫婦円満、お子さんも授かりました。最後に勤めたエンターテインメント業界の会社で定年まであと数年、自由な時間で

原沢修一さん（提供：原沢修一さん）
国家資格キャリアコンサルタント／シニアライフアドバイザーとして活動中

何をしようか、社会貢献か趣味かと考えていた矢先、会社に役職定年という制度が誕生します。管理職から平社員へ、給与が下がっただけではなく、年下の部下が上司になりました。会社は経営が厳しかったのだろう、仕方がないと考えてはみたものの、仕事へのモチベーションを失っていきました。そのようなときに、早期退職の募集があったそうです。渡りに船と、募集掲示後2時間で書類を取りに行き、翌日、応募。35年間のサラリーマン生活を辞め、一足早く58歳で定年を迎えたのでした。

しかし早期退職当時のお話をお聞きすると、自嘲的な答えが返ってきました。

「現役のときは定年退職をして、こんな人間関係や面倒なノルマから早く解放されたいと考えていました。まったく気が回っていませんでしたが、結局、会社に生かされていたのです。会社にプロデュースされたとおりに生きて、退職したのです」

最初は測量士の資格を持つ友人からの誘いでアルバイトをします。測量機や三脚などを持ち運んだり、杭打ちをしたりと肉体労働に追われます。次にキャリアカウンセラーは時給がいいと言われ、養成講座に3カ月間通い、筆記試験、面接試験を通過、資格を得ます。そして運良くカウンセラーの仕事も見つかりました。カウンセラーを続けていくうちに、原沢さんは同じ境遇の人がたくさんいることが分かってきたそうです。

「定年で無職になったことを人に知られるのが恥ずかしいとか、嫌だとか思う人がたくさんいます。それはプライドであり、見栄です。老人ホームに入ったことを友達に言えない人もいます。弱っていることは隠しておきたいのです」

ご自身も、会社から電話で、担当していた仕事のことを教えてほしいと言われるとうれしかったそうです。最後に最近どうなんですかと聞かれれば「結構忙しいんだよ」と答えていました。「それも見栄、暇でやることが何もないなんて意地でも言えないです。それを聞いてカミさんはシラっとした顔をしていました」

定年後の心得――情を確保する

「会社勤めをしている間は仕事一筋で家事は一切手を出しませんでした。ただ自分は一生懸命、家を支えているのだというプライドがありました」と続けました。

仕事がなくなって、時間が余っているにもかかわらず、家事を頼まれると腹が立ったそうです。「カミさんはそれまでずっと家事をこなしてきました。そのことは変わりません。定年で変わったのは自分です。現在の自分はもはや過去の自分ではないのです。自分が生き方を変えなければ一緒には生きていけません。別居、熟年離婚へと進んでしまいます」

熟年離婚をすれば、金銭的な面も含めてお互いに困ることが多いのではと質問すると、即座に「意地は正論をも歪めます。自分も最長3カ月、毎晩離婚のことを考え、マンションを探したりしましたが、離婚はしませんでした。シニアの四大生活習慣病は、意地、プライド、見栄、嫉妬です。ほとんどの熟年離婚の理由は意地です」と返ってきました。

子どもが独立してご夫婦二人だけになると、夫婦の関係が結婚前の他人に戻ることを理解することも大切だといいます。「定年後、夫婦の信頼関係は金銭的なことも重要ですが、まずはお互いの感謝の気持ちです。これが熟年夫婦です。男性には我慢が必要です。お互いを尊重する。愛はあきらめる。代わりに情を確保して、居心地のいい場所を手に入れてほしいと思っています」

「先生」と呼ばれてみたい

退職して5年、東京都文京区シビックセンターで、原沢さんは初めて講座を開きました。タイトルは「こんなはずじゃなかったシニアライフ／男のロマン・女の不満」で、定年後の夫婦の心得について話しました。

「講座で使うMicrosoft PowerPoint(マイクロソフトパワーポイント)は主催者から何回もやり直しを指示されました。受講者は講師を先生だ、プロだと思っているのだから、初めてということを言い訳にしないようにという理由でした」

実体験を交えた講座内容が好評で、その後の活動につながっていきました。そして1年に平均5~8回ほど新宿区、目黒区などの区民講座を、また埼玉、千葉、神奈川などの市民講座やセミナーを行うようになりました。受講料は基本無料で(1000円ほどの場合もありました)、講座の謝礼は1回あたり1万5000円~5万円でした。

「定年後、先生と呼ばれたいという人がたくさんいます。先生に憧れがあるのです。ボランティアでもいいからやらせてほしい、という人もいるくらいです」

講座では、個性・オリジナリティー・ユーモアの3点を心がけているそうです。

「個性とは外見も含んでいます。オリジナリティーは、新聞やテレビなどで見聞きしたことを話す場合でも自分の言葉で話すことです。受講者の方たちが寝てしまったりしたら大変ですから、ユーモアは絶対に必要です」

コラム執筆への誘い

「たまたまセミナーを聞いた人が面白いと言ってくれ、ホームページでコラムを書かないかと誘ってくださったのです。それが一般社団法人日本元気シニア総研創始者、現・最高顧問の富田眞司さんでした。よく偶然こうなったというけれども、偶然を引き起こすのは人との出会いじゃないでしょうか」

コラムの題名を「こんなはずじゃなかったシニアライフ」とし、2015年9月から各回1000字で、20回連載をします。第1回から第13回までは早期退職からシニアライフで生きがいを見つけるまでのこと、第14回から第20回までは夫婦編として、元気シニア倶楽部のコラム（https://genkiseniorclub.com/life-sh001/）でご自身の話を書きました。

コラム執筆の後、なぜ本を書くことにしたのかを聞いてみると「富田さんから本にしてみないかと提案されたのです。コラムを書いていたらファンもできました。まずはやってみることが大事だと再認識しました。ただ原稿が2万文字では本として量が足りないと分かっていましたし、自分は無名ですから、出版社が本にしてくれるはずはないと思いました」

原沢さんは、講師の自己紹介の一部に著書名があると、「先生」としての信用度が上がり、講師としての販促物、名刺になると考えました。

原沢さんは自費出版を試みます。自費出版の会社に連絡をしてみると、最初に必要な金額は1000冊で240万円だと言われたそうです。そんなお金は用意できないと伝えると、最初の担当者に代わって50代の上司の方が出てきて、原稿を読んでみたらとても面白い。このまま諦めるのはもったいないので、安くしましょう。120万でどうでしょう、と提案されました。

自費出版をビジネスとする企業は、著者に200万円~300万円を負担させ、編集から出版までを請け負います。

料金には、印刷製本費、新聞広告費、一般書店への流通費も含まれています。売れ残った在庫は著者に戻ってきます。著者の負担は半額で、という原沢さんが受けた営業は自費出版ではよくある型の営業で、共同出版や協力出版と呼ばれています。主に流通に関わる費用を自費出版会社が負担するために安くなります。原沢さんはそれでも高いと考え、自費出版は断ったそうです。そしてデジタル出版をやってみようと決心しました。

「私は自分史を書こうとは考えていませんでした。素人の履歴書を本にしても誰も読みません。男は特に承認欲求が強いので、Facebook(フェイスブック)に毎日何を食べたかを載せている方もいます。私はそれよりも自分が何をやっているかを書きたいと思いました」

ところで、文章を書くことに苦労はなかったのでしょうか。「エンターテインメント業界にいたのでパワーポイントで企画書を書くのには慣れていましたが、それとは違って、本は前後のつながりを作るのが大変でした。すでに書いたコラムをベースに時間軸通りに書いてみると読んでも面白くない。書いていると不意に思い出すこともあって、まとめるのに苦労しました。喫茶店や図書館で1日6時間くらい書きました。時間に余裕があったから書けたのだと思います。ただ、毎日6時間書けたかというとそうではありません。書けないときもありました」

これで完成だとどのように判断したのか、お聞きしました。原沢さんは、執筆のきっかけを作ってくれた富田さんの他にもう一人、40年来の知己である萩野正昭（株式会社ボイジャー創業者）に読んでもらったそうです。「萩野さんがボイジャーを創業する前ですが、同じ会社で働いていました。萩野さんは自分の上司でした。萩野さんの意見は、一緒に仕事をしていた頃からいつも気にしていました。厳しいのだけど、褒められたりするとすごくうれしかったのです。ちょっとした意見が参考になったこともあります。その萩野さんが面白いと言ってくれて、これで出版してみようと思いました」

73歳、YouTuber（ユーチューバー）？

原沢さんは「新しいことをやれば必ず挫折があります。50代ならやり直す気力をなんとか持つことができます。自分もあと5年早く会社を辞めていたらもっと楽に資格が取れたと思いますが、逆に遅かったからこそ今の自分があると考えるようになりました。人生にif、もしもはありません」と言います。

2018年に『あゝ定年かぁ・クライシス』を出版します。退職からキャリアカウンセラーまでのご自身の体験を11万文字にまとめました。表紙のイラストは萩野のアイデアでヘロシナキャメラさんに描いてもらいました。青空の下、畦道で男女の測量士が働いています。女性は測量機器を覗き込み左手で何やら指示を出しています。男性は左手に測量ロッドを持ちその目盛りには40代・50代・60代とあり、右手で60代を指しています。

最初はデジタル出版だけを考えていましたが、印刷本も必要だと考えるようになり、最低限の部数で作ることにしました。実体験をもとにしているだけに在庫をどこに置くかが問題だったといいます。

「デジタル出版だけならカミさんには秘密にできると思ったのですが、大量の印刷本の在庫が自宅にあったら隠しきれません。ですから、最低限の部数を作って、洋服ダンスの下の方に隠しています。本の印刷費用は年金が振り込まれたタイミングで払います」

フェイスブックや「YouTube（ユーチューブ）」でも活動を紹介されていることを聞くと「全部、自分でやっています。年を取ると自分の年齢を言いたくなる。幾つに見えます？　いや、80なんですよ、若いですね、お元気ですね、という跳ね返りを待っているのです。ユーチューブ動画は自分で作りましたなんて言うと驚かれる。これがうれしいのです。承認欲求ですよ」と笑顔で答えてくれました。

原沢修一『あゝ定年かぁ・クライシス』（ボイジャー）
印刷版1,500円（税別）ISBN978-4-86239-818-5
電子版450円（税別）ISBN978-4-86239-817-8

CASE STUDY 2

趣味の絵を生かして100冊を出版

『幼子の戦争記憶』（加藤忠一）

キャリアで磨いた図解の力

加藤さんは、北海道大学理学部で化学を専攻、富士製鐵株式会社（のちの新日本製鐵、現・日本製鉄）へ入社後、研究開発部門に配属されて、金属の表面処理、防食技術を専門とする研究者人生をスタートさせます。表面処理とは、鉄などの金属の表面を酸や水に強く錆

加藤忠一さん（フェイスブックより）
ギャラリーパスタイム店主。油性ペンとアクリル絵の具でハガキサイズの速描き作品を日々フェイスブックにアップ

びにくい金属などで薄く覆い、錆びを防ぐ技術です。入社後9年目に東京大学に6本の論文をまとめ、提出。富士製鐵と八幡製鐵の2社が合併した新日本製鐵株式会社に在籍しつつ、工学博士号を取得しました。

加藤さんは入社1年目に勤務した富士製鐵の研究所で当時新しく開発された表面処理鋼板の表面皮膜構造を明らかにすること、という研究課題を与えられました。

「企業の研究者は開発と解析の2種類に分かれます。私は解析の方が好きでした。極めて薄い膜の厚み測定に偏光を利用する偏光解析法（エリプソメトリー）が使えるのではないかと思い付き、それまでできなかった解析に成功しました」

新入社員が驚くほど早く課題を解決してしまったのですから、会社からの評価は格別に高いものだったでしょう。その後、仕事の早さが評価され、入社10年目あたりから企画調整スタッフという研究所の官僚的業務に就くようになります。

「研究所が会社から予算を獲得するには、経営陣にうまく説明しなくてはなりません。新日本製鐵ではA3サイズの紙1枚だけで、起承転結を含めて図解することになっていました。トヨタはA4らしいですが。それで図解は相当鍛えられました。今の本作りにめちゃくちゃ生きています。その他、予算をいただくために手練手管を尽くしました」

退職したら本を3冊書こうと決めていた

加藤さんは定年前から定年後に本を3冊書くことを計画していました。1冊5年とし15年かかるので60歳から始める計画でした。そこで、新日本製鐵を退職した後移った子会社で社長として60歳になったとき、親会社に辞めさせてほしいと願い出ましたが、継続するよう説得され、3年後の2004年にようやく退職しました。

退職後、『金筬（かなおさ）および筬屋（おさや）』（2007年）、『ブリキとトタンとブリキ屋さん』（2009年）、『高度経済成長を支えた昭和30年代の工業高校』（2014年）の3冊を自費出版します。どれも200〜300ページあるハードカバーの本です。

加藤さんは「書いてみたら10年で3冊出版できました。この他に画集7冊と合わせて10冊を自費出版していて、数百万円はかけました」と話します。平均すると1冊あたり100万円以下ですから、自費出版としてはかなり安い金額です。安価な会社を探し、なおかつデザイン、編集、文字校正など本作りの作業のほとんどをご自身でこなし、完全原稿での制作を依頼できたからでしょう。

グラフィックデザインが好き

加藤さんは大学時代から、グラフィックデザインをするのが好きだったといいます。北海道大学の学生寮である恵迪寮の寮祭のプログラムもデザインしました。当時の1960年代はガリ版印刷の時代、現代のようなDTPソフトはありませんから、手作業でした。

会社員の時代も絵を離れることはありませんでした。

加藤さんは千葉県南部にある富津の研究所に1989年5月から現地責任者として赴任し、のちに研究部長、研究所長を任されました。そこは最新の研究所で、職員全員にパソコンが渡されており、ネットワーク化したパソコンで指示を出し、作業の進捗を確認することができました。

2001年4月末まで12年の単身赴任の間、徐々に帰宅しなくなり、休日は絵の仲間とのスケッチ行や2DKの社宅での油絵創作をするようになりました。「ダイニングキッチンに50号くらいのキャンバスを置けて、素晴らしい単身赴任生活でした。プロの先生に習っていました。先生はすごい。絵の具を筆につけて一カ所手を入れただけで、パッと絵が変わる。油絵は難しいということが分かりました。ですが、定年を機に額や何十枚ものキャンバスを処分しました」

その後、ヨーロッパをスケッチ淡彩で描いた画集や『スケッチ淡彩のすすめ』(日本信用調査)の出版など、指導者としても活躍している網干啓四郎先生にスケッチ淡彩画を習い始めます。「網干先生の絵は大好きです。先生はA3の画用紙にダーマトグラフという何にでも描ける油性の太い鉛筆でものの5分でスケッチし、薄く色をつける。すごく速い。1年習いました。ただ、習っていると生徒はみな先生の亜流の絵を描くようになる。それでは面白くなくて、自分なりの絵を描きたいと思うようになり、油性ペンとアクリル絵の具で描くようになりました」

365日、毎日無休で絵を描く

現在は、朝6時半からお昼まで毎日欠かさず創作活動に充てていて、数年前から始めたご自分のフェイスブック「ギャラリーパスタイム」に絵をアップしています。パスタイム(pastime)とは、ホビーよりももっと軽い、時間潰しといった意味ですが、それが定年後の生活を表していると考えてそのまま名前にしたそうです。

ハガキサイズの用紙に10分くらいで描くという速描きで、そこで使うのは100円ショップで買ってきた絵の具入れと水彩用のアクリル絵の具。アクリル絵の具は乾くのが速いので難しいところもあるけれども、発色が鮮やかなところが気に入っているそうです。フェイスブックで絵を見ると、光っているので綺麗に見えるのが好きだといいます。デジタル機材は、パソコン、大型モニター、スマホ、「iPad mini（アイパッドミニ）」、スキャナー、プリンターなど一般的なものだけです。

加藤さんがどのように出版に絵を生かしているのかを見てみましょう。退職直後の『金筬（かなおさ）および筬屋（おさや）』は、日本竹筬技術保存研究会がホームページで「筬という織物道具の一部品に関する専門書はおそらく初めてではないでしょうか。内容は、筬に関して時代や国を超えて網羅的に記してあります」と紹介している本です。挿絵は写真やチャートが多く、若干の線画があるだけです。

「私は筬屋の息子なのですが、高校で紡織を学んだものの、家業は継ぎませんでした。その罪滅ぼしのために書きました。筬が竹筬から金筬に変わったことで、繊維産業を発展させました。そのような重要な筬を作り続けた父の筬屋の仕事を本に残そうと考えました」

『ブリキとトタンとブリキ屋さん』は、退職後、自分の専門であったブリキとトタンのことを一般の人向けに解説してみようと書いたそうです。理科の教科書に掲載されていそうな説明図が出てきます。

『高度経済成長を支えた昭和30年代の工業高校』は図がほとんどありません。85人の工業高校卒業生の自分史と、15人の大学卒の評価を中心にした本です。

「研究所には、私たちのような大学卒の他、経済的な理由で大学に行けなかった工業高校卒の技術者もいましたが、彼らはとても優秀な人たちでした。彼らとチームを作り、いい研究ができたことを書き残したかったのです」とおっしゃるように、この本では工業高校卒業生が日本の製造業をどのように支えていたかを紹介しています。

一方、『絵で見る 鉄で作られた物』（2020～2022年、全8巻17冊）の他、1359カ所の酒蔵を訪ねた作品、鎌倉、信州、東京湾の画集など、加藤さんは現在までに100点近くをデジタルで出版していますが、ほとんどが画集、あるいはグラフィック付きのエッセイです。デジタル出版はグラフィックを生かした自費出版に向いているのではないでしょうか。

1週間で書きあげたという『幼子の戦争記憶』では、全35章の章ごとに1点の図解が入っています。同年代の友人とはたった数カ月しか生まれが違わないのに自分には戦争の記憶があることに驚いたことで、本にして残し、誰かに伝えていきたいという思いで書いたそうです。

同時に、戦争前夜のような今の世相も執筆の原動力でした。

加藤忠一『幼子の戦争記憶』(Kindle版)

国立国会図書館にデジタル納本

加藤さんは「Romancer(ロマンサー)」で電子書籍ファイル「EPUB(イーパブ)」を作成し、「アマゾンKindle(キンドル)ストア」で1冊100円もしくは200円で販売しています。ロマンサーは株式会社ボイジャーが主に個人向けに開発したデジタル出版ツールです。

「リタイア後の小遣いが自費出版でなくなってしまったから、どうしたらいいかと考えていました。そのときにアマゾンキンドルなら無料で出版できるということを知ったのです。さっそく乗り換えました。私は儲けるために出版しているわけではないので、手数料をお支払いして一般の書店に登録するとその費用を回収できません。アマゾンに自分で登録するのは面倒ですが、抵抗はありませんでした。ロマンサーでEPUBに変換さえできればいいのでありがたいと思っています。ロマンサーを見つけた経緯は記憶が怪しいのですが、無料でEPUB変換できるところを一生懸命探して出会ったのだと思います」

「国立国会図書館にはずっとアドビ社の「Flash Player（フラッシュプレイヤー）」を用いる電子ブック作品をCDにして納本していました」

「素人が本を書く楽しみは、国立国会図書館に納本ができて永久に保存される、これが一番うれしいことなのです。国会図書館の検索で自分の名前を打つと出てくる。私の場合は、学術論文や博士論文も出ますが、そこに自分の本が出てくるのが無上の喜びです」。

息子さん娘さんには心配されたくないので秘密にしていると前置きして、「私は凝り性で整理魔です。研究者はそうじゃないと務まりません。東京の居酒屋を取材して画集を作っていたのですがコロナ禍で行けなくなり、その代わりに作り始めた『絵で見る　鉄で作られた物』(全7巻)のために行った文献調査でストレスが溜まり、出血性胃潰瘍の貧血で3月に入院してしまいました」という話もしてくださいました。

最後にデジタル出版への要望をお聞きしました。

「ページデザインができないのでフェイスブックやEPUBには不満があります。ロマンサーではNRエディターを使って横組のEPUBを作れますが、文章と図の両方入るものを縦スクロールで見せられるようになったらうれしい」と話していただきました。

DIGITAL PUBLISHING

個人作家の作品例

ご自身の体験からビジネスアピールまで

その他の作品をご紹介しましょう。作品は全てロマンサーで作成されています。スマートフォン、タブレット、パソコンで読むことができます。試しにQRコードを読み取ってみてください。

タイへの愛が伝わってくる『駐妻記』(吉穂みらい)

最初に紹介するのは、吉穂みらいさんが書いた『駐妻記』です。海外駐在帯同の妻は略して駐妻、チュウツマと呼ばれるのだそうです。著者が駐妻としてタイに住んでいた2010年〜2015年の経験談を30のエピソードにまとめ、2021年7月〜12月にネットのプラットフォームの一つである「note(ノート)」で連載。2023年にロマンサーでデジタル出版しまし

た。出版の際は原稿を全部読み直すなど、旦那さん、息子さん、ご両親、友人の協力があったそうです。

海外ビジネスを知る一冊

『サラリーマン生活の打上、ベトナム駐在を楽しむ』(竹岡友昭)

こちらは、1997年から2000年にベトナムに駐在された竹岡友昭さんが書いた作品です。竹岡さんは東京三洋電機(現・三洋電機)で冷蔵庫の商品企画を担当されていました。もうすぐ57歳の役職定年、と思っていた矢先、「ベトナムはお前が行ってやれ」と新事業を任されます。投資金額は日本円で約58億円、不足資金は借り入れし、冷蔵庫と洗濯機を作って売るというものでした。体験者しか分からないベトナムのビジネススタイル、大手企業の内部事情が詳しく描かれています。

家庭問題を詩のように綴った一冊

『発達障害と付き合いながら離婚再婚してステップファミリーになった話』（コサメ）

こちらはコサメさんがご自身の家庭問題について、２人の息子さんを中心に、奥様との出会いから離婚までを書いています。別居で２人の息子さんと３人の暮らしが始まり、ご自身は「お父さんという役割の視点が芽生えた」そうです。息子さんは一人が自閉スペクトラム症（ＡＳＤ）、もう一人が注意欠如・多動症（ＡＤＨＤ）と診断をされていますが、コサメさんは別居後、調停の準備をしながら２人はグレーゾーンだと考えるようになります。こうした診断の重みが伝わってきます。

筋トレの指導のプロが書く一冊

『子どもの運動能力をアップさせる方法』（こばかず）

著者のこばかずさんは、運動指導や筋力トレーニングの指導を行う健康運動指導士です。『子どもの運動能力をアップさせる方法』はこばかずさんのデジタル出版２冊のうちの１冊

で、子どものときのスポーツや遊びで培われる「36の基本動作」がロコモティブシンドローム（運動器症候群）を防ぐと書いています。もう1冊『運動を継続するためのコツ―心理編―』は、筋トレ三日坊主の方におすすめで、筋トレや運動でうつ病のきっかけを防ぐ可能性について解説しています。

会社の名刺をデジタル出版
『成約率の高いファン化集客する3つのステップ』（下西由紀子）

次は、編集プロダクション、有限会社スリージャグス代表取締役、下西由紀子さんの作品です。編集プロダクションとは、企業や個人の方から本、ホームページ、冊子などのコンテンツの企画制作を請け負う会社のことです。スリージャグスのお客さまは小学館、徳間書店など出版社や、広告代理店、印刷会社、メーカーまでさまざまです。会社案内や市場調査のまとめも行います。起業32年の実績をURLリンクやQRコードを使ってアピールしています。

写真86枚とURL80カ所の済州島ガイド
『路線バスで旅する済州島とオルレギル』（山本俊雄）

こちらは山本俊雄さんが書かれた済州島のガイドブックです。済州島は朝鮮半島の南西にあります。山本さんは、人が密集する観光地が嫌い。短時間で数多くの観光地を回るのが苦手で、済州島の豊かな自然を満喫しながら歩く「済州オルレ」がすっかり気に入りました。本来は知り合い限定で書いたそうですが、一般の人にも「時間が十分にあってもお金のない人が、済州島の自然に触れるため」のノウハウを知ってほしいと独自の情報を詰め込み、デジタル出版しました。

同世代の仲間に伝えておきたい
『干潟のピンギムヌ』（石月正広）

こちらは講談社、双葉社、竹書房などで作品を発表している小説家、石月正広さんの作品です。石月さんはこの作品を私家版としてデジタル出版しました。作品紹介に「現役の物

書きですが、小説で食べていこうという考えはなくなりました。小説を書くのは、ただただ多くの読者に読んで貰いたいという思いからです」と書いています。この他、ご自身が飛びぬけた問題作だと考える『七三一部隊を逃すな！「月光仮面は誰でしょう」』や『カクサクボーイ』など、12作品を公開中です。

中華料理の奥深さが伝わってくる
『中華古典料理集（菓子とフルーツ）』（食憲鴻秘、朱彝尊　訳 多田敏宏）

この作品は多田敏宏さんが中国清時代のレシピ集「食憲鴻秘」（朱彝尊著）からデザートのお菓子とフルーツのレシピを翻訳した作品です。この他、『汪曾祺、中国民衆の食』シリーズ、『中華美味大全』シリーズなど、合計34作品の翻訳出版があります。『中国、茶のエッセイ（1）』によれば、「中国は昔からエッセイの大国」で、「現代、再度エッセイが勃興している」そうですが、どのレシピの表現もエッセイになっています。もっと読みやすいレイアウトに改善できると思いますが、そうした欠点を乗り越える面白さを持つ一冊です。

DIGITAL PUBLISHING

ネットの中の自分――SNSとメール

ここまでデジタル出版作品を紹介してきました。実体験を綴る、ノウハウをまとめる、ビジネスアピールをするなど、さまざまな作品がデジタル出版されています。著者の方たちは、作品を読者に知らせる、読者に届ける部分でもネットを利用しています。

ネットと聞いて思い浮かぶのは、ホームページ、SNS、メールでしょうか。

1990年代後半、アーリーアダプターと呼ばれるITリテラシーの高いテクノロジー好きの人たちがホームページに飛びつきました。2000年代に入り、ブログサービスが増えるにつれて、ホームページを個人で制作する人は減っていきました。ホームページよりもブログ、そして今はブログよりもSNSの利用者が増えています。総務省の2022年（令和4年）の調査では78・7%の人がフェイスブック（2004年開始）、ツイッター（2006年開始。現エックス）などのSNSを利用しているそうです。

不特定多数の人に対して手軽に情報発信できるＳＮＳに対して、個人同士の結びつきが強いのがメールや「ＬＩＮＥ（ライン、２０１１年開始）」です。これらがどれほど普及しているかは説明するまでもないでしょう。

出版は読者に届いて初めて、完成します。最初の読者を見つけるには、ＳＮＳとメールは手軽で、個人のデジタル出版にとても便利な道具といえます。

自己紹介代わりの著者ページ

総務省の２０２２年（令和４年）の調査によると、ホームページを開設し、情報発信している企業の割合は日本全体で91・8％、つまり現在、ほとんどの企業がホームページを持っていることになります。

加藤忠一さんのフェイスブック「ギャラリーパスタイム」

ホームページを用意するには、ドメイン名の取得、ウェブサーバーの準備、CMSの設置など、手数がかかりますが、それでも企業がホームページを用意するのは、消費者がインターネットで何かしらの情報を検索したときに、自分のホームページにアクセスしてほしいからです。会社案内、商品カタログ、採用情報の他、オンラインショップやお問い合わせコーナーなどを用意して、消費者のアクセスを待ちます。

個人でホームページを持つのは難しいとはいえ、インターネット上で読者に自分を見つけてもらうためには、自己紹介情報をインターネット上に公開していなければなりません。一番簡単な方法は、オンライン書店やデジタル出版サービスの著者ページを自己紹介ページとして利用することです。

例えば、加藤忠一さんはアマゾンの運営する「Amazon著者セントラル」にアカウントを持っています。アカウント作成は無料です。ここでご自身の略歴、作品を一覧できる著者ページを作りました。ご自分のフェイスブックのURLも載せています。

もしも自分でホームページを作るのなら、ページのデザインも内容も自分で用意しなければなりませんが、著者セントラルでは、自己紹介を書くだけで作成できます。アマゾンKindleストアで販売している作品も自動的に並びます。

ロマンサーというデジタル出版サービスの場合も、自動的に著者ページができます。こちらでも公開作品を一緒に並べることができます。

著者ページは手軽な上に、ベストセラー作家も著作が1冊の著者も、全ての著者を平等に扱うことが約束されています。上手に利用することをお勧めします。

オンライン書店などでは、読者のコメントが公開されていたり、アクセス数や販売数などのランキングを見ることができます。コメントが書き込まれることもあります。もしもご自分の作品にコメントがあったとしたら、それは素晴らしいことです。ご自分の作品が一人目の読者と出会った証拠です。

加藤忠一さんのプロフィールページ（アマゾン）

DIGITAL PUBLISHING

名刺代わりの本

出版の手応え

会社勤めを続けていれば、定年は誰もがいつか経験します。強制的に引退の日を勧告されることと同じで、まだ働ける、まだ会社でやりたいことがある方にとってはとても辛いものです。

原沢さんは定年後、仕事の関係者との付き合いが極端に減ってしまったけれども、出版によって人付き合いが増えたといいます。講座の依頼や電子書店でのレビューも、新たな励みになったそうです。

「朝日新聞に2回も載りました。人生の運を使い果たしたかもしれません。アマゾンで売っているだけでもすごいことだと思います。アマゾンのレビューで、『ラストのまとめは印刷してトイレなどに貼っておきたい』『60冊ほどの定年に関する本を読みました。その中で、この本に出会い、私の運命が変わりました』と書いてくださった方もいて、すごくうれしかったです」

加藤さんのように自由な時間を望んでいたとしても、もしも何もやることがなかったら、厳しい生き方となったでしょう。その時間を自費出版作品の制作にあて、それが地域のタウンニュースで何度か紹介されました。日本酒の王冠を集めていたり、居酒屋を描いていることも、ご近所には知られています。散歩の途中、トタン屋根の喫茶店を見つけ、建物をスケッチしてプレゼントしたりもしているそうです。自由を楽しむ一手段として、出版を役立てているのではないかと思います。

自分のための出版

私たちは世界的に見ても群を抜いた高齢化社会に暮らしています。2022年の日本の総人口1億2471万人中、65歳以上は3627万人(29・1%)。アメリカの17・1%とは10%以上の差、イタリアの24・1%とも5%の差があります。そして2024年には50歳以上の人口が50%を超えるということをご存知でしょうか。日本社会は2人に1人が50歳以上ということになります。

60歳あるいは65歳で定年。年を取ってくると、何につけてももう年だからと諦めの言葉を口にすることが増えていきます。病気を抱えていたら気が弱くなります。夢を持てなくなる方もいます。

自分自身のために1人、あるいは数人の読者を見つけること、本を利用することも選択肢の一つです。本は知らない誰かと著者の心と心を結ぶメディアです。デジタル出版を利用すれば、映画やゲームなどの創作と比べて驚くほど安く制作できます。また後世に残すこともできます。誰でも挑戦できるのです。

第2章　出版・デジタル出版の仕組み

DIGITAL PUBLISHING

出版ビジネスの仕組み

この章では、紙の本がどのように出版されていくのか、デジタルとどのように違うのかをお話ししていこうと思います。出版に挑戦するにあたってどういった方法が自分に合っているのか、誰でも悩みます。あらかじめ出版ビジネスの概要が分かっていれば自然と一番良い方法を選べると思います。

従来の紙の出版ビジネスから説明していきましょう。

読者は本の所有者になる

出版ビジネスの関係者は、著者、出版社、卸業者、書店、読者です。

それぞれの役割はご想像のとおりです。著者が原稿を書き、出版社に渡します。出版社では編集、校閲・校正、装丁といった専門スタッフが印刷用のデータに仕上げます。続いて印刷・製本会社で本にします。卸業者が本を書店に運び、書店が読者に売ります。書店の部分を「図書館」に置き換えたとしても、本の代金は読者がしっかり負担しています。図書館で本を借りるのは無料ですが、町の図書館が税金で運営されているのはご存知でしょう。読者のお金が、著者、出版社、卸業者、書店など、関係者にいろいろなタイミングで分配されていきます。

雑誌ではもう一つ、広告が加わります。こちらでも読者は消費者です。メーカーは製品の宣伝をするために雑誌の広告スペースにお金を支払います。それを見た読者に商品を買ってもらう、つまり読者がお金を負担しているということになります。雑誌の採算は書店で売れた分と、広告スペースを売った分の合計で計算されます。

書店で紙の本を買うと、読者はその本の所有者となります。友達に貸したり、古本屋に売ったり、図書館へ寄贈したりできます。でも、そのコピーを作成したり、翻訳して海外版を作成したりすることはできません。著作権の侵害になってしまうからです。

いつでも定価販売

出版ビジネスでも、肉や野菜などの商品と同様、小売店にあたる書店へ効率よく流通するために卸業者が存在します。

ビジネス全体が読者のお金で成り立っていることは他の商品と同じですが、この小売と卸の部分はちょっと変わった出版特有の仕組みになっています。

第一に、日本では全国一律、定価販売が原則です。閉店間際になってまだ売れ残っているからといって安くなることはありません。単行本、文庫本、新書や雑誌は、タバコや新聞などと同じ、再販売価格維持制度（再販制度）の商品なのです。日本には書店が1万1495店あるそうですが（2022年、全国出版協会・出版科学研究所の統計による）、全国にチェーン店を展開する大きな書店でも町の書店でも、稚内の書店でも石垣島の書店でも、文字通り同じ価格で販売されます。

第二に委託販売が原則です。ただし委託販売といっても、出版の場合は特殊です。一般の委託販売であれば、書店で読者が買うまで本の所有者は出版社のままです。書店で売れたら、書店は販売手数料を受け取り、売れ残った本は所有者である出版社に戻す。これが普通の委託販売です。

ところが出版の委託販売では、卸業者から書店に納品した段階でいったん、売買が完了します。所有権も書店に移り、卸業者へ支払いも行われます。しかし、卸業者には買い戻しをするという条件が付いています。委託のようで委託ではないのです。売れ残った本があれば、書店は卸業者へ返品し、卸業者は返金をします。返品されてきた本は再び、新品と同じ条件で販売されます。一般的な商慣習であれば委託とは呼べない取引を出版ビジネスでは委託と呼んでいるのです。

個人は書店へ流通できない

出版社と書店の中間にいる卸業者を「取次（とりつぎ）」と呼びます。

書店の店先で、日販、TOHANという文字が印刷された段ボールを見かけたことはありませんか？　日本出版販売株式会社（日販）、TOHAN（トーハン）は日本の代表的な書店取次業者で、出版流通の約80％を流通しています。どちらも講談社、小学館などの有名な出版社が株主となっています。大量の本を全国一斉に流通させるために、戦後から粛々と磨き上げられてきた書店流通の要です。

例えば、集英社『週刊少年ジャンプ』の1995年新年号の発行部数は653万部です。集英社がこの漫画週刊誌を遅滞なく一斉に全国書店へ並べることができたのは、取次が流通システム全体を指揮しているからです。決まった発売日より早く売り始めて抜け駆けをしたりすれば次回から仕入停止といったペナルティを課すなど、書店の管理も担当します。

このように取次は本を流通する上で欠かせない存在です。さらに売上の支払いに関しても重要な役割を担っています。

新刊を例にどのような流れになっているのかを見てみましょう。

新刊は基本半年、書店に置き、その後、出版社に返品されます。半年後、取次と出版社の間で精算をします。同じ新刊でも書店からの注文分は翌月の精算とされていますが、実際には支払いが保留になったり、3カ月後になったりします。

一部の出版社と取次の間には特別な取り決めが交わされています。新刊を出せばその代金が仮支払いされることになっています。出版社から見ると、先に本の代金を受け取れるので、取次は一種の金融機能を担っています。

書店流通関係者

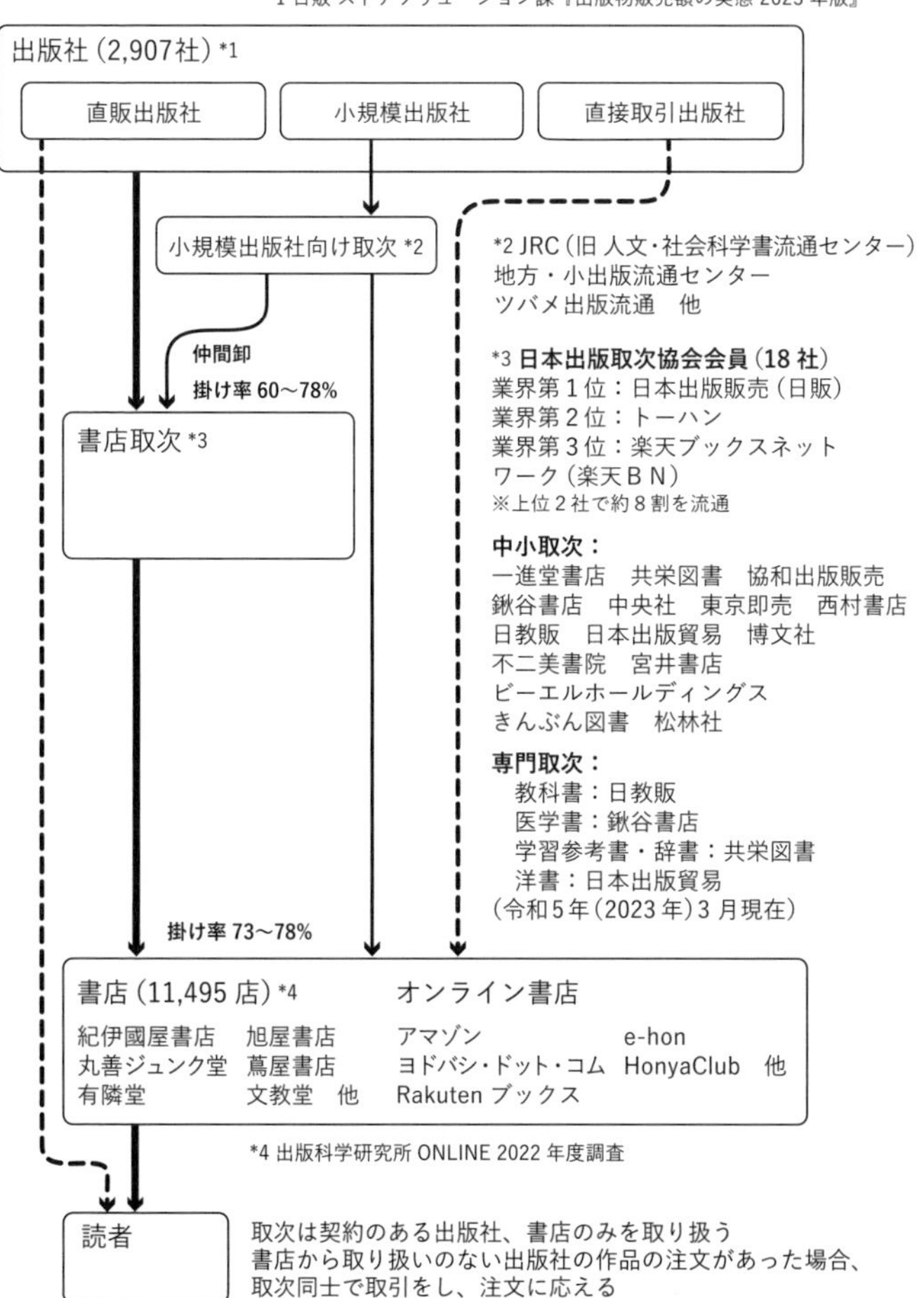

取次流通
非取次流通
*1 日販 ストアソリューション課『出版物販売額の実態 2023 年版』
出版社（2,907社）*1
直販出版社
小規模出版社
直接取引出版社
小規模出版社向け取次 *2
*2 JRC（旧 人文・社会科学書流通センター）
地方・小出版流通センター
ツバメ出版流通　他
仲間卸
掛け率 60〜78%
書店取次 *3
*3 日本出版取次協会会員（18 社）
業界第 1 位：日本出版販売（日販）
業界第 2 位：トーハン
業界第 3 位：楽天ブックスネットワーク（楽天ＢＮ）
※上位 2 社で約 8 割を流通
中小取次：
一進堂書店　共栄図書　協和出版販売
鍬谷書店　中央社　東京即売　西村書店
日教販　日本出版貿易　博文社
不二美書院　宮井書店
ビーエルホールディングス
きんぶん図書　松林社
専門取次：
教科書：日教販
医学書：鍬谷書店
学習参考書・辞書：共栄図書
洋書：日本出版貿易
（令和 5 年（2023 年）3 月現在）
掛け率 73〜78%
書店（11,495 店）*4
紀伊國屋書店　旭屋書店
丸善ジュンク堂　蔦屋書店
有隣堂　文教堂　他
オンライン書店
アマゾン　e-hon
ヨドバシ・ドット・コム　HonyaClub　他
Rakuten ブックス
*4 出版科学研究所 ONLINE 2022 年度調査
読者
取次は契約のある出版社、書店のみを取り扱う
書店から取り扱いのない出版社の作品の注文があった場合、
取次同士で取引をし、注文に応える

これ以外にも「消化仕入れ」「売上仕入れ」など、言葉だけではいったいどんな条件なのか、想像できないものもあります。

一方、個人が取次と契約することは不可能です。個人の場合、全国の書店で売るなら、自費出版サービスを行っている会社あるいは出版社に任せるのが近道です。第1章でお話ししたとおり、自費出版の費用はかなりの金額です。アマゾンは個人からも紙の出版を受け付けています。

図書館流通の概要

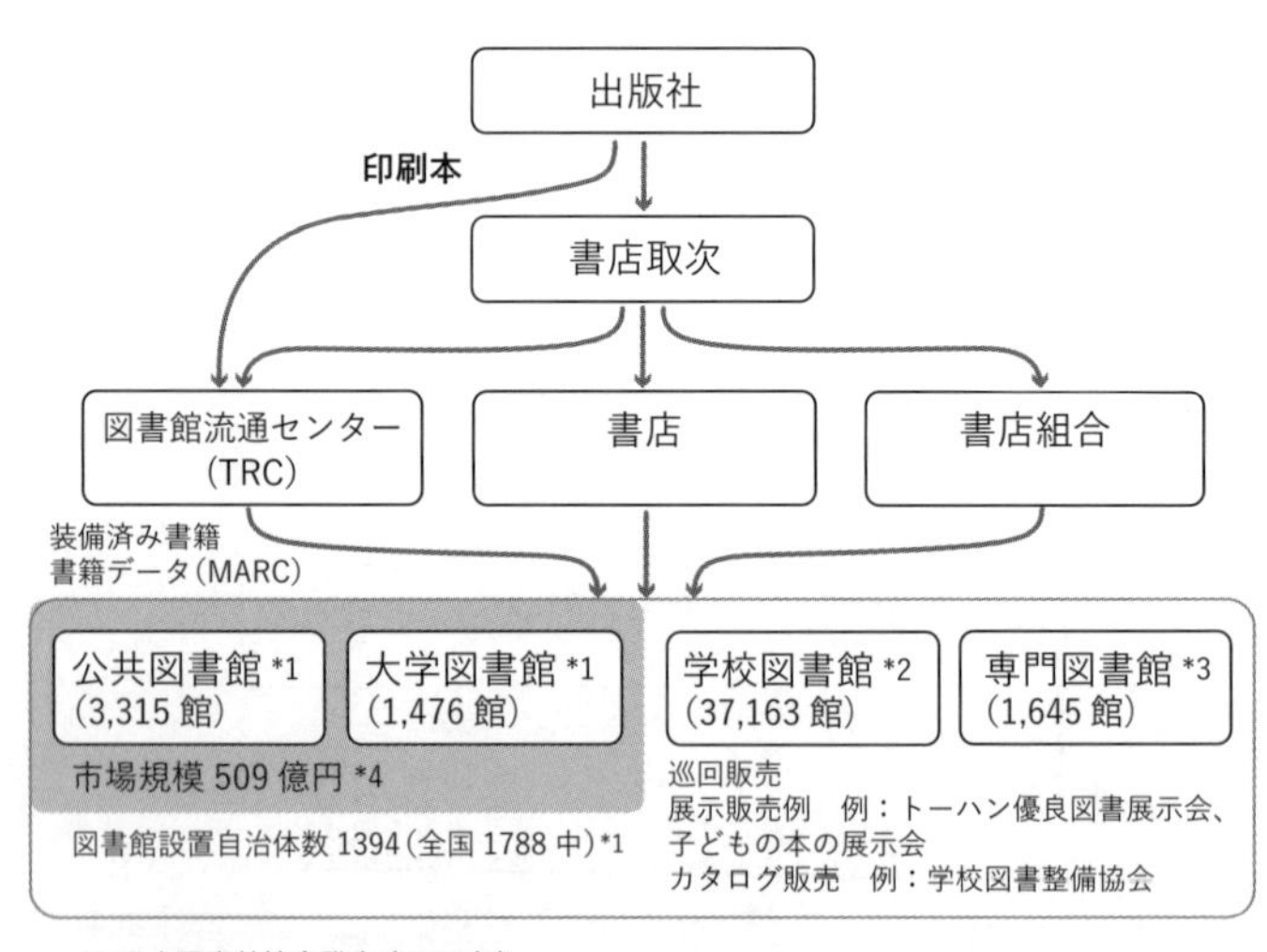

*1 日本図書館協会発表（2022 年）
*2 文科省令和 2 年度学校図書館の現状に関する調査
*3 専門図書館協議会発表（2018 年）
*4 日販 ストアソリューション課『出版物販売額の実態 2023 年版』

DIGITAL PUBLISHING

デジタル出版の仕組み

デジタル出版ビジネスの場合はどうでしょうか。

こちらも関係者は著者、出版社、卸業者、書店、読者です。関係者の種類には差はありません。基本的な関係者は紙と同じですが、物体としての本のやり取りはありません。本はEPUBという電子書籍ファイル、卸業者と書店はそれぞれ電子書店取次（もしくは電子書籍取次、略して電子取次とも）、電子書店ということになります。

紙の出版経験があると宙に浮いているように感じると思いますが、取引条件から見ると普通のビジネスです。常識が通じます。安売りもありますし、売上は2～4カ月で支払われます。

著作権法上、デジタル出版用の出版権があるということからお話ししていきましょう。

出版権には紙とデジタルの2種類がある

出版権とは、著作権法によって定められている権利の一つです。法律では自分の考えや気持ちを表現した作品が創作されると、その作品を「著作物」、創作した人を「著作者」と呼びます。そして著作者に「著作権」という権利が生じます。著作権は、複製権、口述権、翻訳権・翻案権などに細かく分かれています。本を出版するということは、著作物の複製を販売するということです。著作者が著作物の複製を特定の第三者に認めることを「出版権を設定する」といいます。出版社が出版を行うには、法律に基づき著作者から出版権を設定してもらうか、あるいは複製権の利用許諾を得る必要があります。

2014年に法改正があり、デジタル出版に出版権が認められるようになりました。従来の紙の出版に、CD-ROMなどのメディアの複製で行われる出版を追加したものに第1号出版権、インターネットを通じて配信される形のない出版に第2号出版権という呼び名が付きました。

10年前まで著作権法には、この第2号出版権という権利はありませんでした。

1990年代、出版社の法務担当者の中には「デジタルの本は出版物とは認めない」と主張する人がいました。当時の著作権法を根拠にした法務担当らしい意見です。デジタル出版が生まれてから10年足らずの時期で、単純に軽視していたのかもしれません。

今では大多数の出版社が、第1号、第2号の両方を著者と契約することを基本方針としています。しかし、2000年代初期、ほとんどの出版社はデジタル出版の契約に無関心でした。この頃はインターネットの黎明期です。インターネット上にオンラインサービスを展開する企業が次々と出てきました。著者の育ての親を自負する出版社の逆鱗に触れることは覚悟の上、起業したての企業が、デジタルはまったく別の物だとして、著者と直接、著作物を電子的に利用することを許諾する主旨の契約をし、デジタル出版することも珍しくありませんでした。

実際、別物なのです。今では第1号出版権と第2号出版権は別々の権利だとはっきりしています。

著者は同じ出版社と両方を契約する義務はありません。出版社Aに第1号出版権、出版社Bに第2号出版権を設定するといったことができます。

ご自分でインターネットを通じて配信する場合は、自動的に第2号出版権は設定できなくなります。電子書店の中には個人で契約できるところがあります。出版社と合意できれば、自分で契約できない電子書店だけを出版社に任せるといったこともできます。

出版権は非常に強い権利です。1社が独占的に持つものなのです。出版権を契約した出版社は、独占的に販売や配信をできるようになる一方、出版の義務が課せられます。契約または著作権法が定める期間内に出版を行わなければなりません。ウェブなどの場合は、自動公衆送信を行わなければならない、とされています。自動公衆送信とはインターネットを利用した配信のことです。

出版権の利用

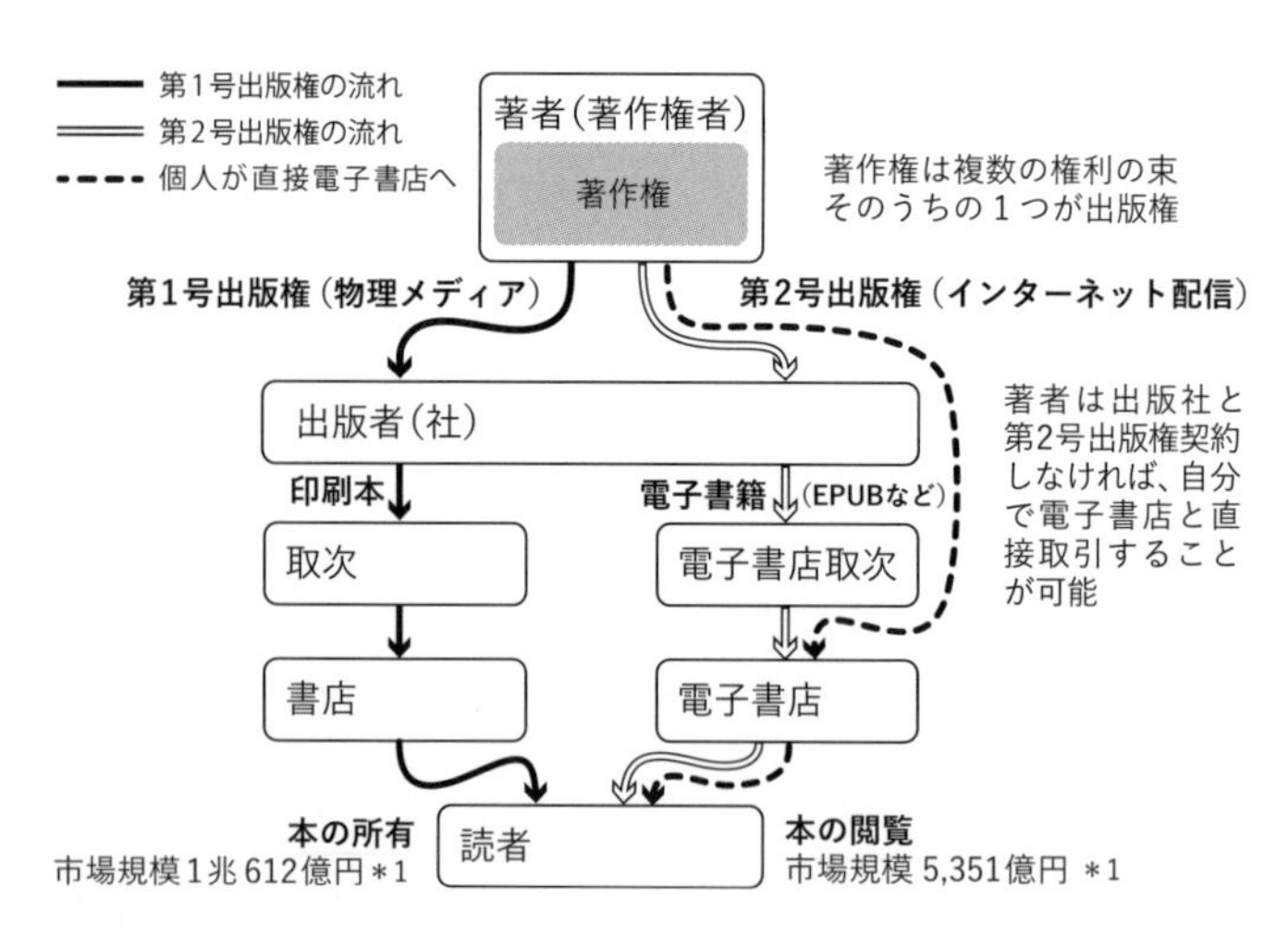

*1 出版科学研究所 2024年 1月 25日発表

海賊版サイトのために改正された著作権法

デジタル出版は、第2号出版権が法律で決まっていなくてもできたのに、なぜ著作権法改正へと進んだのでしょうか。それは映画、音楽、コミックなどの海賊版サイトがインターネット上に登場したことと大いに関係しています。

例えば、日本のコミックは世界中で人気があります。海賊版サイトの運営業者は、コミックのスキャン画像を大量にインターネットで公開しました。しかも無料です。サイトの構築や運営に費用がかかりますが、運営業者は海賊版で読者をたくさん集めることによりネット広告の売上げで荒稼ぎをしました。これは明らかに著作権の侵害です。電子書店のコミックの売上金額にはっきりした影響が出るほど被害は甚大でした。

ところが、著作権法改正前はコミックの出版社は警察などに頼んで運営業者を取り締まってもらうことができませんでした。出版権の侵害は被害者が告訴しなければならない親告罪です。法律上、その出版権がデジタル出版に対しては存在しないのですから、告訴できるのは著作者自身だけです。出版社は告訴できなかったのです。では、著者自身が海外にいる海賊版サイトの運営業者を告訴できるかというと、言葉の問題、被害実態の把握など、困難極まりないのは明らかです。

改正後は著者が出版社と第2号出版権の契約を締結していれば、出版社が運営業者を訴えることができるようになりました。

海賊版はコミックだけの問題ではありません。映画、音楽業界も同じです。日本のコンテンツの輸出促進、海外展開を目的として2002年にできた任意団体コンテンツ海外流通促進機構（CODA）が、2009年に一般社団法人になり、コンテンツの海賊版の流通を阻止する活動にも力を入れるようになりました。CODAは2022年のデジタル出版の海賊版被害額を推計約3952億円～8311億円と発表しています。同じ2022年度の紙の出版の推定販売金額は1兆1292億円、デジタル出版は5013億円（出版科学研究所）です。この金額を考えると大きな被害を被っているといえるでしょう。

読者は本の閲覧者になる

みなさんが電子書店を利用するときには、あらかじめメールアドレス、パスワード、クレジットカード番号などを電子書店に登録しているはずです。

読みたい作品の「購入」ボタンを押すと、ホームページには「少々お待ちください」といった表示が出ると思います。数秒待てば、本を読むことができるようになります。

この数秒の間に、裏側ではたくさんの作業が行われています。例えば「購入」ボタンが押された瞬間、どの作品を購入したのかをデータベースに記録するとか、オンライン決済が終わったら「少々お待ちください」を隠すとか、読者が本を読めるように設定を変更するとか。

紙の本は、オンライン決済が終われば、読者は本の所有者になりますが、デジタル出版ではそうなりません。読者は本の閲覧者になります。

電子書店の利用規約を読むと、電子書店の会員になると電子書籍を購入できるようになる、という意味の文面があります。この購入は、本を読む権利を読者へ販売するという意味です。これを「閲覧権」と呼びます。利用規約で「電子書籍の閲覧」という言葉が見つかると思います。読者には所有権がないので、友達に貸したり、古本屋に売ったり、図書館へ寄贈したりすることはできません。電子書店では、読者に本の所有権を渡すことはありません。

利用規約には、読者が購入した作品が配信されなくなった場合に備えた条項もあります。すでに閲覧権を持っている読者には継続して配信するのが一般的です。

安売りは日常、読み放題はあって当然

デジタル出版は同じ出版でも紙の本とは違い再販制度の外のビジネスです。オンラインでデジタル出版を取り扱う電子書店は自由に販売価格を決めることができます。

アマゾンKindleストア、コミックシーモアなど電子書店でユーザー登録をしていると、登録したメールアドレスに値引きキャンペーンの案内が届くことがあると思います。たまに、期間限定無料といった極端なキャンペーンも見かけます。こうした販売価格の上げ下げが行われているのがデジタル出版の一つの特徴です。正確にいうと、出版社は販売価格の変更に応じるという条件をOKしないと、電子取次や電子書店と販売契約を結んでもらえないのです。

電子書店の論理は、値下げは読者のメリットになる、他の電子書店との差別化になる、自由競争は公正な取引だ、というものです。この論理は第2号出版権の起草に大きな影響があっただろうと推測しています。

最近では出版社が直接デジタル出版の定期購読、サブスクリプションサービスを行うようになりました。読者は毎月一定金額を支払えば読み放題というわけです。法律の専門書を集めているところ、発行済みの雑誌を全部読めるようにしているところなど、特徴がはっきり

しているサービスに人気があります。

価格が変えられるため、出版社の管理業務に影響があります。出版ビジネスは少量多品種、ロングテール、ストックビジネスの典型例だといわれています。有名出版社であれば、数万点の作品の在庫や売上の管理、数千人の著者の管理を扱うデータベースを持っています。販売価格が変われば、印税支払い、売上管理は、販売価格×料率×部数では計算できなくなります。その対応は販売作品数が多ければ多いほど影響を受けます。

個人が電子書店で直接販売できる

電子書店のうち、アマゾンKindleストア、「Apple Books（アップルブックス）」は、個人でも直接販売の申請手続きができます。個人が自分の意思で出版できるというのは、出版の原点です。

もっとも、源泉税の手続きが面倒で、ここで申請を断念する人も少なくありません。アマゾンは米国ワシントン州シアトルに、アップルはカリフォルニア州クパチーノにあり、米国企業です。米国企業には著作物の売上を支払うときに、源泉徴収と納付義務が課せられています。

電子書籍でも同じです。米国人はTIN（納税者番号）を持っているので、その番号で源泉徴収を行います。日米間の租税条約では、支払いを受け取る日本人が「Form W-8BEN」と呼ばれる書類を米国の内国歳入庁（IRS）へ提出していると、米国での源泉徴収は免除されることになっています。「Form W-8BEN」は「米国源泉税に対する受益者の非居住証明書」と呼ばれています。オンラインで販売の申請をすると、TINの提出画面が出てきます。そこでこの非居住証明書が必要となります。この書類準備のハードルが高いので、有料の電子取次サービスを利用したり、無料で公開したりする人もいます。

個人向けに電子取次を行っている会社は、株式会社ボイジャーのような小さい会社です。TOPPAN、DNPといった日本を代表する印刷会社が運営する電子取次は、紙の出版同様、個人のデジタル出版は受け付けていません。

デジタル出版は印刷や製本の費用はかかりませんし、運送も不要です。売上の集計も早いです。最長でも2～4カ月待てば、売上が支払われます。

デジタル出版関係者

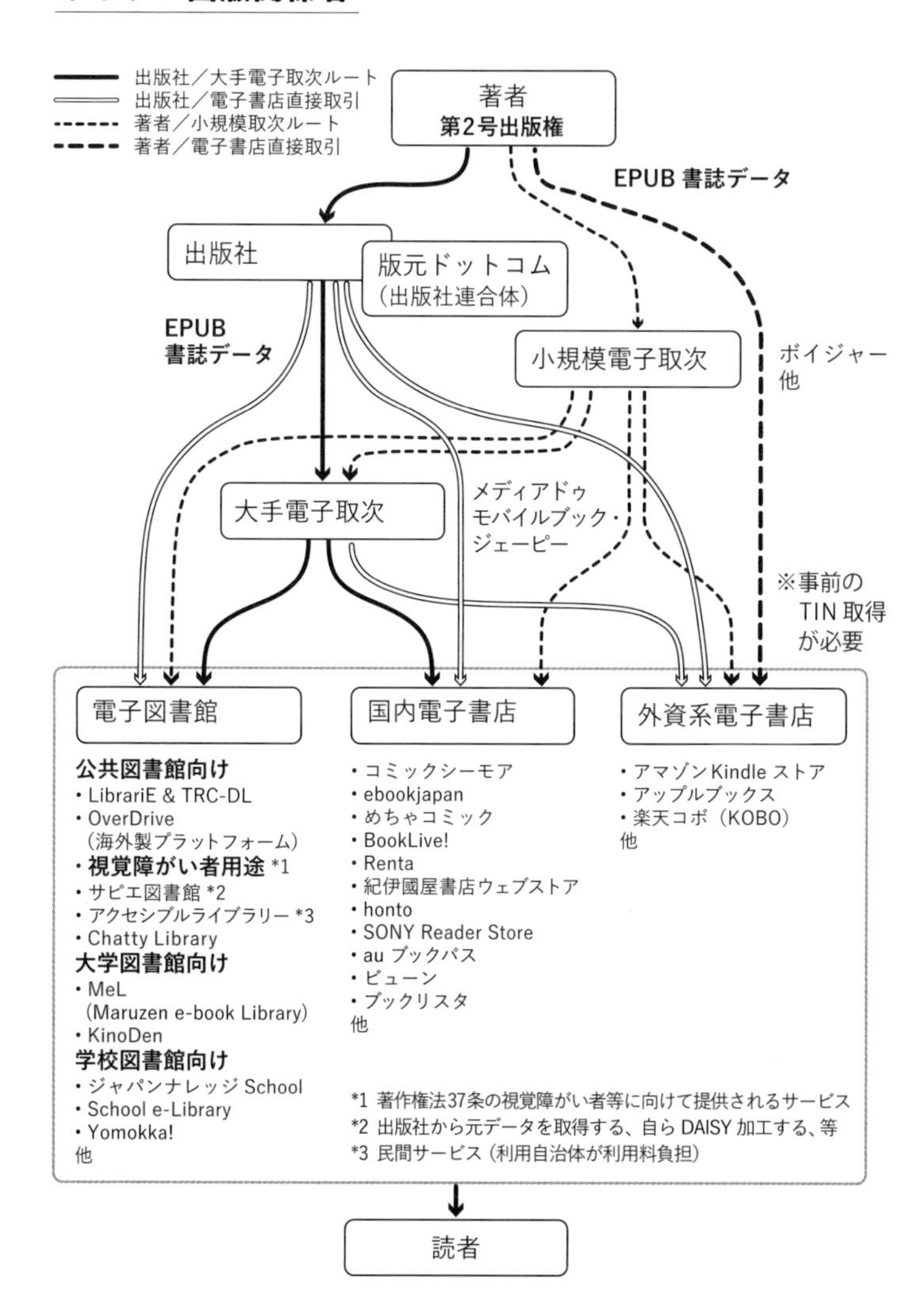

出版社／大手電子取次ルート
出版社／電子書店直接取引
著者／小規模取次ルート
著者／電子書店直接取引
著者
第2号出版権
EPUB 書誌データ
出版社
版元ドットコム
（出版社連合体）
EPUB
書誌データ
小規模電子取次
ボイジャー
他
大手電子取次
メディアドゥ
モバイルブック・
ジェーピー
※事前の
TIN 取得
が必要
電子図書館
国内電子書店
外資系電子書店
公共図書館向け
・LibrariE & TRC-DL
・OverDrive
（海外製プラットフォーム）
・視覚障がい者用途 *1
・サピエ図書館 *2
・アクセシブルライブラリー *3
・Chatty Library
大学図書館向け
・MeL
（Maruzen e-book Library）
・KinoDen
学校図書館向け
・ジャパンナレッジ School
・School e-Library
・Yomokka!
他
・コミックシーモア
・ebookjapan
・めちゃコミック
・BookLive!
・Renta
・紀伊國屋書店ウェブストア
・honto
・SONY Reader Store
・au ブックパス
・ビューン
・ブックリスタ
他
・アマゾンKindle ストア
・アップルブックス
・楽天コボ（KOBO）
他
*1 著作権法37条の視覚障がい者等に向けて提供されるサービス
*2 出版社から元データを取得する、自ら DAISY 加工する、等
*3 民間サービス（利用自治体が利用料負担）
読者

DIGITAL PUBLISHING

デジタル出版のメリット・デメリット

スマートフォンで読める

第1章でお話ししたとおり、デジタル出版にはできるかぎり安く出版したり、国立国会図書館に残したりできるというメリットがあります。読者に届けるときに送料がかからないというメリットもあります。では、読者にとってはどのようなメリット、デメリットがあるのでしょうか。

例えば、読む際にはデジタル機器を必要とします。紙の本はページを開けば読める、このことと比較すると大きなデメリットです。スマートフォン、タブレット、PCの他、インターネットが利用できてモニターが付いていれば、ほぼ100％、読書用のデジタル機器として利用できますが、バッテリーが切れると何もできなくなります。

バッテリーの切れたスマートフォンは文鎮くらいの役にしか立ちません。しかし、バッテリーが十分あるときは別です。これほど何でもできる機器は他にはありません。電話、チャット、デジタルカメラ、ゲームなどの他、インターネットがあれば、世界中の電子書店から本を手に入れることができます。分からないことが出てくればその場でネット検索することもできます。

このようにデジタル機器を使う読書は、メリットとデメリットの両方の面があります。

２０００年代初期、日本の家電メーカーから読書専用機が発売されましたが、全て消えてしまいました。その後、アメリカで「ｉＰｈｏｎｅ（アイフォン）」が発売されたのは、２００７年６月です。そこから20年足らずで、スマートフォンは86・８％まで普及しました（総務省統計による）。すっかり生活に溶け込んだスマートフォンで、電子書店にアクセスし読書してもらえることは、デジタル出版の大きなメリットだと思います。

文字サイズを選択できる

１９９０年代のデジタル出版は、ＰＣで表示するためのＣＤ‐ＲＯＭを指していました。当時のPCは現在のノート型とは違ってデスクトップ型が主流でした。PC本体とモニター、キーボードは別々で、総重量は5キロ、10キロ超えが普通で、持ち運びする人はいませんでした。読者はCD-ROMをPCのCD-ROMドライブにセットし、あちこちに仕込まれたボタンを押してインタラクティブな仕掛けを楽しみました。それは制作者の意図どおりの仕掛けを楽しむものでした。PDFは拡大しても縮小してもレイアウトが変わりません。それと似ています。

ボイジャーが1998年に開発したPC用のソフトウェア「T-Time(ティータイム)」はその固定観念を打ち破りました。読者が本を表示しているエリアの大きさを変えると、その都度文字を自動的に再レイアウトして表示することができました。世界初のリフロー型デジタル出版でした。

今のデジタル出版には、文字サイズを変更できるリフロー型と、変更できないフィックス型の2タイプがありますが、どちらもスマートフォン、タブレット、PCどれでも読むことができます。CD-ROMで販売されてはいません。インターネットで直接、読者のデジタル機器に届きます。

リフロー型は文字のサイズ、色、背景色などの変更ができるのが普通です。文字のサイズが選べることは読者にとってメリットです。

私たちは2人に1人が50代以上という社会に生きています。自然なことですが、老眼の人も多くなる計算です。リフロー型のデジタル出版では、特別な対応をしなくても、老眼の読者にも大きい文字で読んでもらうことができます。

先ほどデジタル出版では、本はEPUBという電子書籍ファイルだということを書きました。EPUBの仕様は「W3C（The World Wide Web Consortium）」が決めています。インターネットの仕様を決めている団体です。ここでは、「情報へのアクセスは基本的人権である。アクセシビリティを高め、誰もがウェブの情報へアクセスできるようにすること」を仕様の基本に置いています。デジタル出版はその枠の中に、情報を格納している本のファイルとして位置付けられています。

文字サイズが変更できることは、デジタル出版がアクセシブルだということの一例です。

音で読むことができる

もう一つの例が自動音声読み上げです。

リフロー型のデジタル出版では機械的に文章を音に変換することができます。英語のText to Speechを略してTTS（ティティエス）と呼ぶこともあります。

変換辞書やAIの進化のおかげで、驚くほど聞きやすくなってきています。難しい漢字もすらすらと読み上げます。ただ、ときどき間違います。自動音声読み上げは成長の段階です。

例えば、「北海道」を略して「道」と書くことがあります。自動音声読み上げは「北海道で多発している」は正しく読めますが、「道で多発している」の「道」は「みち」と読んだりします。「画像有り」を「がぞうゆうり」と読み上げたりします。もしもアナウンサーが朗読するならこのような間違いは起きません。でも、機械の割には抑揚もついていて、文章を十分に理解できるだけのところまで品質は上がってきています。

自動音声読み上げは、視力が弱い、文字を認識しにくいというハンディキャップを抱えている人たちに向けたものだと思われがちですが、本を持ち上げ続ける筋肉の力がない人の読書にも便利です。障害がなくとも、本を読む代わりにアマゾンのオーディブルや株式会社オトバンクのオーディオブックといったインターネットサービスでプロの朗読を聞いて楽しむ人もいます。掃除をしながら、お風呂に入りながら聴くことができますから、「ながら読書」と呼ばれています。本を聴くという新しい形の読書では、今まで読めなかった人にも本を読む機会を作ることができるのです。

２０２３年7月19日、第１６９回芥川賞が市川沙央さんの『ハンチバック』に決定しました。市川さんが受賞コメントで、出版界に対して「読書バリアフリー」にもっと取り組んでほしいと発言したのはまさにこのことでした。

障害を持つ人自身が音声で読みたいと願っているのに、大手出版社の編集者の中には、デジタル出版の自動音声読み上げを禁止すべきだと言う人もいます。その理由は、著者が意図しない読み方は認められない、会社がＯＫしても自分はＯＫしない、正しい音声で本を提供しなければならない、ということなのです。

全ての本のオーディオブック版を提供できるようになれば、耳で読むか、目で読むかを選べます。しかし朗読の制作費は1冊あたり10万円以上かかるといわれています。単行本だけで1年当たり7万冊出版されていますので、今すぐに全ての単行本がオーディオブックになるとは考えられません。

デジタル出版が始まったばかりの頃、ある会合で視覚障がい者の方から「私のように目が見えない者にとって紙の本は紙の束でしかありません。デジタルであれば機械を使って音声にすることができます。だからデジタル出版こそ私たちにとっての本なのです。他の方と同じ値段を払います。その本の音声読み上げを許可してください」とお願いされました。

試しに紙の本を手に持って目を閉じてみてください。手触りから文庫本か辞書かなど見当がつきます。厚みで読み終わるまでどのくらいの時間がかかるか、想像できます。そのまま本文のどこかを開いてみましょう。どのページを開いたのか、そこに何が書いてあるのか、目をつぶっていたら分かりません。見えないからです。

病気や事故で視覚を失った方がたくさんいます。少しでも前の生活を取り戻せるように、勉強して、PCやスマートフォンを補助ツールとして活用しています。

自動音声読み上げは進歩しています。ですから、出版に携わる人は、読み上げに反対するのではなく、もっと品質を高められるように協力する姿勢をとるべきです。障害のある人が健常者と同じ値段で入手した本を読めることの方が大切だと思います。

第3章　どのように準備するか？

DIGITAL PUBLISHING

デジタル出版には何が必要？

この章では、実際にデジタル出版の本を作る方法をご説明していこうと思います。

前章でデジタル出版ではEPUBという形式のデジタルファイルが流通していると説明しました。ジャンルは、小説、ノンフィクション、自分史、エッセイ、ハウツー本など、何でもOKですし、テーマも自由です。グラフィック中心の作品も例外ではありません。写真集、コミックなどがたくさん出版されていますが、これらも書店流通向けにはEPUBが作られています。流通網を利用するためには、どうしてもファイル形式は限られるのです。残念ながら、デジタルファイルになっていれば何でもよいというわけにはいかないのです。

ワープロとして「Microsoft Word（マイクロソフトワード）」を使っている方であれば、doc形式あるいはdocx形式のファイルをなぜそのまま流通できないのか、わざわざファイル形式を変える必要があるのか、と不思議に感じると思います。残念ながら、お馴染みのd oc形式あるいはdocx形式、「Microsoft PowerPoint（マイクロソフトパワーポイント）」のpptx形式は、そのまま流通することができません。PDF形式も同様です。誤解のないように付け加えますが、ご自分のホームページから直接ダウンロードできるようにするのであれば、これらの形式を利用できます。あくまでも電子書店の流通を利用する場合、ということです。

ご存知のとおり、デジタルファイルのコピーはとても簡単です。EPUBファイルそのものが読者に渡ってしまうと、うっかりインターネット上にアップロードされないとも限りません。もしもそうなった場合、世界中で違法コピーを生み出す原因になります。電子書店ではそうした事態を防ぐために、読者にEPUBを送ることはありません。読者に送られるファイルは電子書店独自の形式に変換されています。正規に購入した読者だけが読めるようになっています。そのため取り扱えるファイル形式には制限があるのです。

そのEPUBを作成するにはどのような道具を揃えればいいのでしょうか。オーサリングツールなどについて、お話ししていきましょう。

ネットとパソコンがあればＯＫ

最初に質問をしてみたいと思います。

・オンラインショッピングをしたことがある？
・ワードで文章を書いたことがある？
・メールアドレスを持っている？

全て「はい」ならば、インターネットが使えて、デジタルテキストを入力できて、知人の方とメールでやり取りできるのですから、道具もＩＴスキルも十分です。それ以上、増やす必要はありません。50代の方は資料作りの経験が豊富です。どう書けば分かりやすい文章になるのか、理解しています。そう、すぐに始められるのです。

あえて付け加えるなら、本作りに関する参考資料があると便利です。

一つは漢字や略語、年号などの書き方に関するものです。本や新聞を読んでも文章にあまり違和感を持たないと思います。違和感がないというのは、この政治家はひどいとか、こんな事件があったのかとか、この事実は本当だろうかということではありません。日本語としてつっかえずに読めるかどうか。日本語のレイアウトへの違和感がないかどうか、という意味です。

もう一つは、印刷本の制作進行に関する資料です。この種類の本はたくさん出版されています。デジタル出版でも本を作る流れは印刷本と共通です。知っておくとやりやすいでしょう。

出版社では本作りの工程を分業しています。出版社の編集者は本をアイロンがかかったシーツみたいにピシッと仕上げていく役割を持っています。校閲者は内容の齟齬を正す係、校正者は文字の間違いを正す係、アートディレクターは本の装丁に責任を持つ係、営業は書店に適正な数を納品する係など、各業務のプロです。個人でこうした人たちを探してくるのは難しいです。資料は特に編集者を雇う代わりになります。

オススメは以下の2冊です。

文章書きの基本的参考書――『記者ハンドブック』

『記者ハンドブック』は原稿を書くときの参考書です。プロも使っています。同種の資料は、読売新聞、朝日新聞、ＮＨＫ放送文化研究所、三省堂、講談社など、各社から出ています。共同通信社版は２０２２年に６年ぶりに改訂されて、新しいところが良いと思います。文章を書いていると、漢数字がいいかアラビア数字がいいか、この略称は正式名称を入れた方がいいか、どんどん気になってきます。例えば、一人二人を１人２人とするかどうか、そうしたら、一つ二つは１つ２つなのかなど、迷いは尽きません。そのときの助けとなる資料です。

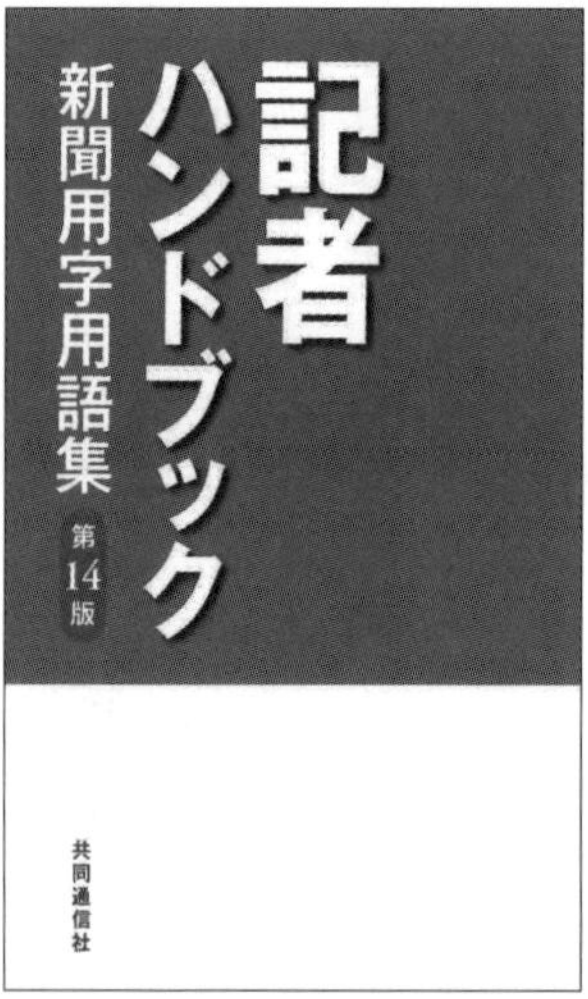

記者ハンドブック
新聞用字用語集
第14版
共同通信社

『記者ハンドブック 新聞用字用語集 第14版』(共同通信社)
新書判／752ページ
本体価格：1,900円＋税
刊行年月：2022年3月
ISBN：978-4-7641-0733-5

本の制作工程を知るなら――『原稿編集ルールブック』

出版界で働く人にお馴染みの日本エディタースクールという学校が出版している「出版実務の500円シリーズ」の一冊です。本の制作工程について要点が書いてあります。構成が工程順なので目次を見るだけでも参考になります。索引もついています。デジタル出版の次に、印刷本を作ろうと思ったとき、有償の制作サービスを利用しようと思ったとき、注の用語の解説も含めて拾い読みしておくと、何をどうしたら安く作れるのかが分かると思います。

『原稿編集ルールブック 第2版』(日本エディタースクール)
A5判/80ページ
本体価格:500円+税
刊行年月:2012年9月
ISBN:978-4-88888-402-0

文章に絵や写真をプラス

ネットとパソコンが使えたら、さらに、スマートフォンで写真が撮れて、スキャナーが使えるとよいでしょう。文章の他、写真やグラフ、イラストを利用してみましょう。文章だけで表現し切るのはプロでも難しいことだからです。

ＳＦ分野の編集者として長年活躍した今岡清さんは、著書の中で作家の文章力について次のように述べています。今岡さんは星新一、小松左京、筒井康隆、栗本薫など、有名作家を担当していました。

字はたいてい誰でも書けます。ただ、文章の形にするのは、そんなに易しいことではありません。「文章は誰でも書ける」というのは、わたしは誤解だと思います。

たとえば「この部屋で今、起きていることをそのまま文章だけで描写してごらん」といわれて、どれだけの人ができるでしょう。この程度のことは頭なんてつかわないで、反射的にできるようにならないと、もっと深いところを書く余裕は出てこないと思います。

『それでは小説にならない』（今岡清著・株式会社ボイジャー）より

〝作家でなければ文章だけでは言い表せない〟 今岡さんの実感だと思います。

作家ではない私たち一般人の文章力を補う方法の一つが、グラフィックやホームページ、動画などのURLを取り込んだ表現だと思います。

みなさんご存知の1955年に始まった読書感想文、こちらでも1989年から「読書感想画コンクール」が開催されています。「読書の感動を表現する」には絵と文、どちらを使ってもよいということです。

ご自分の文章を友人に見せて、もしもきょとんとされたら、専門用語を使い過ぎていないか、難解な熟語を使っていないか、言葉の選び方を一度確認してみてください。言葉だけで説明しようと頑張り過ぎていないか、グラフィックを追加して分かりやすくできないかを考えてみてください。

デジタル出版では文章にグラフィックをプラスして、デジタルを味方にしましょう。

紙の本を作る場合、カラー写真を多用すると印刷費用に大きく響きます。白黒印刷は墨のインク1色で刷りますが、カラー印刷はシアン、マゼンタ、イエロー、墨というインク4色で刷ります。それぞれの濃度を変えることでリアルな色を表現するのです。単純にいうと白黒印刷はインクが1種類なので1回、カラー印刷はインクが4種類なので4回刷ります。カラー印刷の代金の方が高くなります。一方、デジタル出版は印刷の工程がありません。カラー写真を何点使おうとも費用には影響しないので、思い切り使ってください。

超短編もOK

デジタル本の欠点の一つに、読み進めている本で今表示されているページが本全体のどのあたりなのか、パッと分からないことがあげられます。どの読書ビューアにも今どのあたりを読んでいるか調べる機能は付いていますので、何かしら操作をすれば分かります。しかし、開いただけでは超短編も超長編も見分けが付きません。デジタル本は物理的な厚みがありませんので、本文の長さやページの位置を直感的に判断することができません。紙の本との大きな違いです。

紙の本の場合は、1～2センチの厚みが一般的です。紙の本が書店でどのように陳列されているか、思い浮かべてみてください。売れ筋の新刊は平台と呼ばれる水平の台に積み上げられて置かれます。それほど押してはいない新刊は書棚に並べられます。書棚では見えるのは背表紙だけですから、薄過ぎると見つけにくくなります。そのため出版社は厚みを気にします。かといって厚過ぎるとかさばり過ぎて売りたい部数を書棚に置けないといった問題が起きます。こうした流通上の問題で、短編は10～20作品をまとめて1冊にすることがほとんどです。物理的大きさに制限されないデジタル出版では、バラ売りもまとめ売りもどちらでも好きな方を選べます。

ボイジャーでは短編小説やエッセイで活躍する片岡義男さんの作品のデジタル出版を行っています。片岡義男・COM（https://kataokayoshio.com/）では、短編それぞれを1冊として公開しています。数分で読み終わる短編は、スマートフォン向きだと思います。

個人の方でも短編をデジタル出版している方がいます。マキタカシさんの『ひとコマ絵本』をご紹介しましょう。

マキさんは東京の南青山で40年以上コピーライターとして仕事をされています。英語と日本語の橋渡しが得意だそうです。２０１４年頃、喫茶店で小さいお子さんを連れたお母さんがスマートフォンに夢中になっている間、お子さんがただ待っているだけという光景を見て、スマートフォンで読み聞かせられる絵本というコンセプトを思い付きます。

それ以来、タブレット用の絵本はロマンサーで、スマートフォン用の縦スクロール絵本はアマゾンやｎｏｔｅで創作配信、約30冊の絵本を創作されています。現在、超短編絵本から連載物まで、のべ100話以上の作品を創作しています。少しずつ公開していった作品をまとめるのはデジタル出版ならではの出版方法だと思います。

マキタカシ『ひとコマ絵本』
(ボイジャー)
2023年11月15日公開・更新

DIGITAL PUBLISHING

デジタル出版ファイル「EPUB」

デジタル出版で制作するファイルはEPUB（イーパブ）といいます。ネットで検索すると、「EPUBは世界標準のオープンな電子書籍規格です」といった説明が見つかると思います。デジタル出版でEPUBを利用することが当たり前になったのはここ10年くらいのことですが、EPUBが普及する前からデジタル出版は行われていました。

前章で触れたコミックもEPUBではありませんでした。

また、ケータイ小説も違います。2000年頃は携帯電話といえば一般的にフィーチャーフォン、通称ガラケーでした。総務省によると携帯電話の普及率は1993年の3・2%からわずか10年、2003年には94・4%まで伸びました。破竹の勢いです。誰もが携帯電話を持ち、さらに通話以外のサービスも利用していました。ケータイ小説はガラケーで一大ブームを巻き起こしました。何しろガラケーの画面は3～4センチくらいです。そこで執筆から公開まで行うサービスに驚きました。私のように書くことはもっぱらPCでやっている人間は、ここで小説が書けるものか、読めるものかと先入観を持っていました。しかし、iモード上の小説投稿サイト「魔法のiらんど」では無名の著者の作品、『天使がくれたもの』『恋空』『赤い糸』などが読者から熱烈な支持を集め、2007年の文芸書のベストセラーランキングでは紙の本として書籍化されたケータイ小説『恋空』『赤い糸』『君空』が上位を独占し、ケータイ小説に注目せざるをえない雰囲気が生まれました。テレビドラマ化、映画化、コミック化までされた作品もありました。

iモードはNTTドコモによる世界初の携帯電話（フィーチャーフォン）IP接続サービスで、1999年2月にサービスが開始され、2021年11月に終了しましたが、しばらくの間、デジタル出版といえばケータイ小説という時代がありました。

その他にも、家電メーカーによる読書専用端末がありました。液晶2枚の見開き表示を持ったパナソニックの「ΣBook（シグマブック）」、E Ink方式の電子ペーパーを採用したソニーの「LIBRIe（リブリエ）」など、これらの端末には、専用のビューアが搭載されていました。日本には独自の電子書籍ファイル形式がありましたから、これらもEPUBを読む端末ではありませんでした。

ＥＰＵＢの歴史

ここからはＥＰＵＢのお話です。２００７年に最初のバージョンが決定され、しばらくの間、欧米中心に利用されていました。２０１１年に、世界中の本を作れるようにという理念のもと、大幅な規格改定が行われ、バージョン３が登場しました。日本語のための規格もこのときに追加されました。

この改定にはインターネットの進化が必要でした。アメリカで生まれたインターネットは最初、アルファベットしか表示できませんでした。日本語で情報を発信するにはローマ字で書かなければなりませんでした。これでは広まりません。そのあと、徐々に利用できる文字が増えていき、日本語も表示できるようになりましたが、メールもホームページもしょっちゅう文字化けしていました。

ホームページで使われているＨＴＭＬにもバージョンがあるのですが、１９９７年にＨＴＭＬ４・０が決まりました。このとき、「Ｕｎｉｃｏｄｅ（ユニコード）」という文字コード規格が導入されました。Ｕｎｉｃｏｄｅは、世界で使われる全ての文字を共通の文字集合で利用できるようにしようという考えで作られています。大前進でした。２０１４年にさらにＨＴＭＬ５が決まりました。「UTF-8（ユーティーエフエイト）」という文字コードが標準となり、ようやく、世界中の言語のほとんどが正しく表示できるようになったのです。

こうした仕様改定は、W3C（World Wide Web Consortium）が牽引してきました。特に言語の問題の解決には、Internationalization Working Group（インターナショナライゼーションワーキンググループ）が当たっています。インターナショナライゼーションは、英語のInternationalization の先頭のiと最後のnそして間にある文字数18を組み合わせて通称「i18n」と呼ぶこともあります。村井純工学博士（現・慶應義塾大学教授）を筆頭に日本人の研究者がW3Cで積極的に仕様策定に加わったおかげで、日本語も表示されるようになりました。現在、私たちはどんな言語のホームページも正しく見ることができます。

EPUBに必要だったものの一つが、この文字の規格です。世界中の言語が表示できる世界標準の規格ができていったことで、EPUBを利用した日本語のデジタル出版が可能になりました。縦書き・横書きの表示、ページめくり方向の規格も決まりました。アマゾン、アップルといった電子書店で日本語のデジタル出版が販売できるのも、短いEPUBの歴史の中でボイジャー、シャープなどの技術者が集まってこうした規格改定を行ってきたからです。

2007年の「iPhone（アイフォン）」発売からわずか16年で日本のデジタル出版もEPU

EPUBオーサリングイメージ

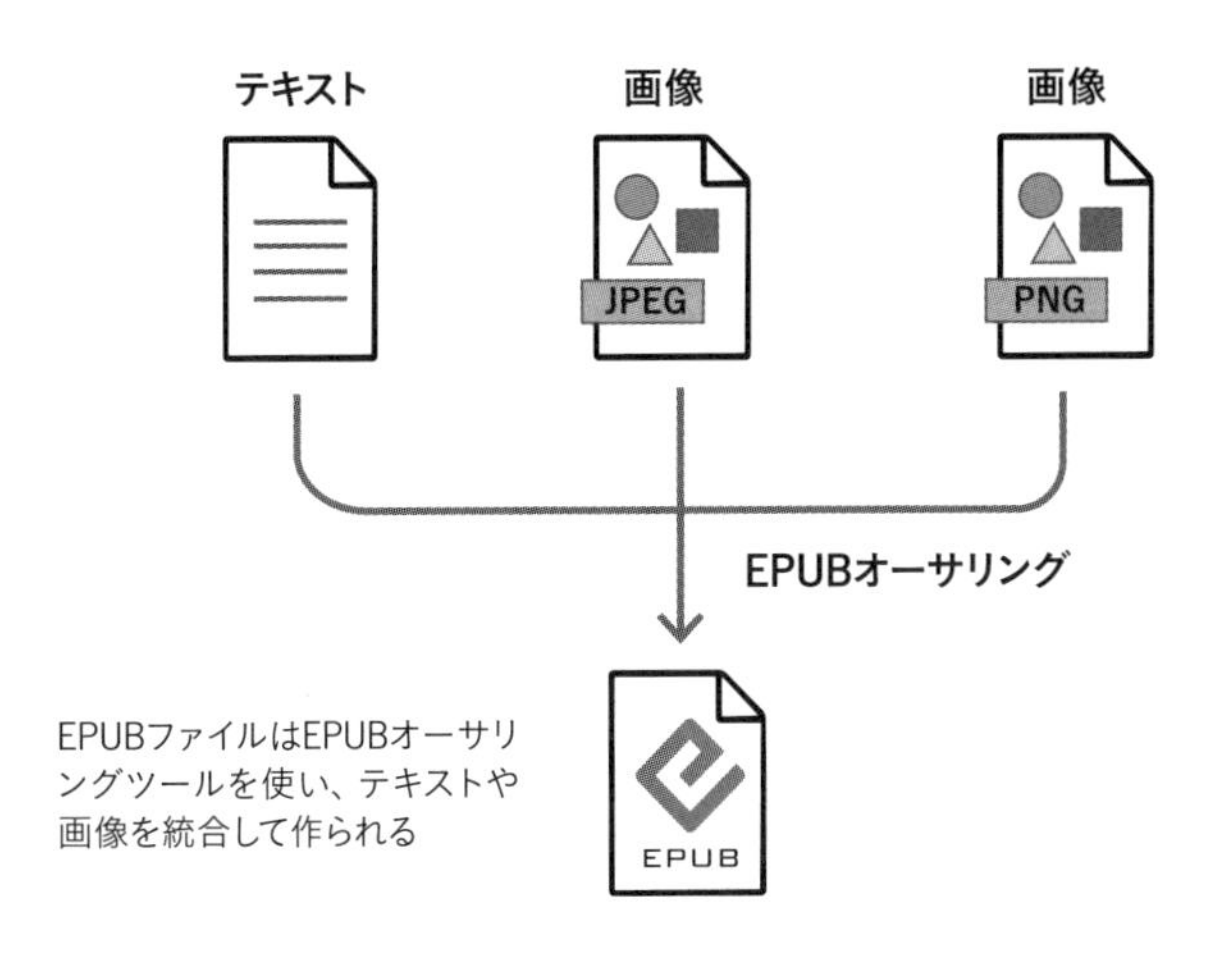

EPUBファイルの内部構造

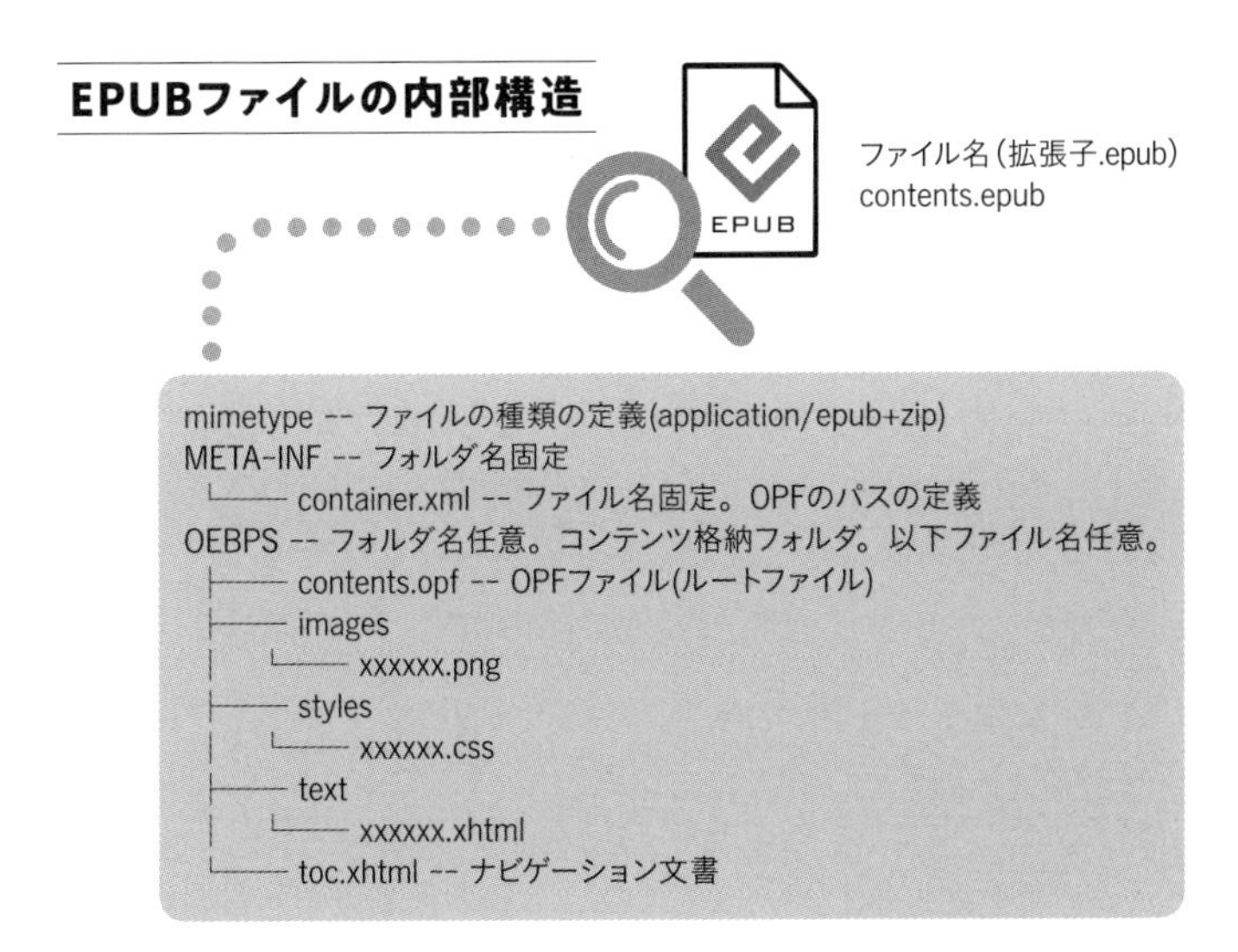

Bが標準になりました。

スマートフォン所有率をお伝えすると、２０２２年の調査（モバイル社会研究所）では、60代のスマートフォン所有率は93％、70代では73％です。ほとんどの世代がスマートフォンを利用しています。

30年前、デスクトップパソコンで読んでいたデジタル出版はもうありません。ＥＰＵＢとＨＴＭＬ５のおかげで、スマートフォンで電子書店にアクセスし、それぞれの読書ビューアでＥＰＵＢを読むことができるようになっています。

DIGITAL PUBLISHING

EPUBオーサリングツールいろいろ

前項のEPUBの図を見て複雑だと感じたと思います。XHTMLやCSSなどのファイルを人間が手作業で一つずつ作っていくことは難しいので、正確に作るために制作にはEPUBオーサリングツールを使いましょう。案ずるより産むが易し、どのオーサリングツールを使っても構いません。やってみましょう。有償のEPUB作成サービスもあります。EPUB作成サービスは既存の作品のDTPデータからEPUBへ変換したいときに向いています。

「Sigil（シジル）」はEPUB規格策定の初期に作られたアプリケーションです。「Linux（リナックス）」というOSで使えるということから考えても、利用している人はある種、技術オタク的なところがありそうです。

アップルの「Pages（ページズ）」はアップル社製デバイスのほとんどで使えるワープロアプリです。PagesファイルをEPUBに書き出すことができます。動画や音声ファイルの埋め込みも可能です。こん

EPUBオーサリングツール分類

なにすごいEPUBが付属アプリでできるとは、と感心します。ただ、EPUBの汎用性が低く、完全な形で表示できるのはアップルブックスだけなのが欠点です。

「でんでんコンバーター」と「ロマンサー」は、日本人の開発者が作っています。でんでんコンバーターはマークダウン方式で、印を入れたテキストをEPUBへ変換します。ロマンサーは直感的に使えるウェブアプリ「NRエディター」を使うことができます。どちらもEPUBの汎用性は高いです。

こうしたツール開発では、IT技術者がどういった発想で設計したのか、想定した利用者のペルソナがどういったものかが出来栄えを左右します。

ボイジャーのロマンサーは利用者のペルソナをデジタル出版初心者とし、70代の萩野正昭、50代の小池利明、20代の木村智也のチームで開発しました。

萩野は、EPUB 3の規格策定時、「IDPF（International Digital Publishing Forum）」の理事の一人でした。世界標準規格を日本に根付かせるため、自社で開発していた独自のファイル形式をやめ、いち早くEPUBを採用していきました。小池は規格策定に技術者として参加し、日本語表示のためのテストファイルを提供し、規格開発を行いました。木村は直感的に使えるウェブアプリ版エディターを独自に開発、誰もがデジタル出版できる環境に貢献しています。ボイジャーの30年の歩みが凝縮した開発となっています。

本は誰かが読んでくれたとき、初めて完成すると私は思っています。ロマンサーにはEPUB作成機能に加えて、ウェブブラウザ版の読書ビューアが標準で付属しています。作品ごとにURLが発行できるので、すぐに読んで出来栄えを確かめることができます。URLを友人に知らせれば、そのURLにウェブブラウザでアクセスしただけで本が開き、読んでもらうことができます。どれを使っても構いません。作り始めることが第一です。

シンプル・イズ・ベスト！

先ほど、EPUBはオープンな電子書籍規格だと書きました。

ＥＰＵＢの規格は現在、Ｗ３Ｃが著作権を持っていますが、Ｗ３Ｃは誰からも利用料を取っていません。「オープンな」のとおり、ファイルの規格の詳細を無料で公開しています。規格に沿って自由に作ってくださって構いません、ということです。

規格というと一般的にＩＳＯ規格やＪＩＳ規格などが頭に浮かびます。こちらは費用を払って審査してもらい、認証を得るというものですが、ＥＰＵＢオーサリングツールもＥＰＵＢファイルの表示をする読書ビューアも、開発するためにＷ３Ｃに費用を払う必要はありません。無料です。

ＥＰＵＢファイルを自由に作れるとしても、読書ビューアはＥＰＵＢファイルが規格に合っていなければうまく表示できません。ファイルの確認は必要です。Ｗ３Ｃはそのためのソフトウェアである「ｅｐｕｂｃｈｅｃｋ（イーパブチェック）」を無料提供しています。

今や世界中でＥＰＵＢファイルが制作され、各社独自の読書ビューアが開発されています。では、ＥＰＵＢをどう作ったらいいでしょうか。多くの読書ビューアで表示できるようにシンプルに作るか。あるいは特定の読書ビューアに向けて複雑に作り込むか。いずれも間違いではありません。ただ、どちらが多くの読者に届けられるかという点では答えは明らかです。シンプルに作りましょう。シンプルの意味は、本文だけしか書いてはいけないという意味ではありません。見出しや小見出しを付けることは大歓迎です。

紙の本であれば、文字の大きさや色で目立つようにレイアウトしておけば、人が目で見て解釈します。目次があれば、ページ番号を見てそこを開くことができます。デジタル出版でも同じような表現をすることはできますが、それだけではデジタル出版の良さをフル活用することができません。

本文に対してこの部分は見出しだ、本文とは違うという情報をファイルに設定しましょう。読みにくい漢字にふりがな（ルビ）を付け、引用部分をはっきりとさせることも歓迎です。こうした要素をレイアウトで装飾の一部として調整するのではなく、しっかりと構造と装飾が分離されると、EPUBは単なる本からアクセシブルな本へと進化します。

読書ビューアは人ではありません。EPUBファイル内部の記述を読み取り、表示するデジタルの機械です。読書ビューアは見出しが設定されていると、見出しをちょっと大きく表示したり、機械的に目次を生成したりします。

こうした設定は目が見えない人が読書をするときの助けとなります。紙の本への転用も簡単になります。EPUBは見出しやグラフィックの配置までは決まっているデータですから、紙の本を作るときには、レイアウトから始めることができます。

目次項目を選択するページ遷移

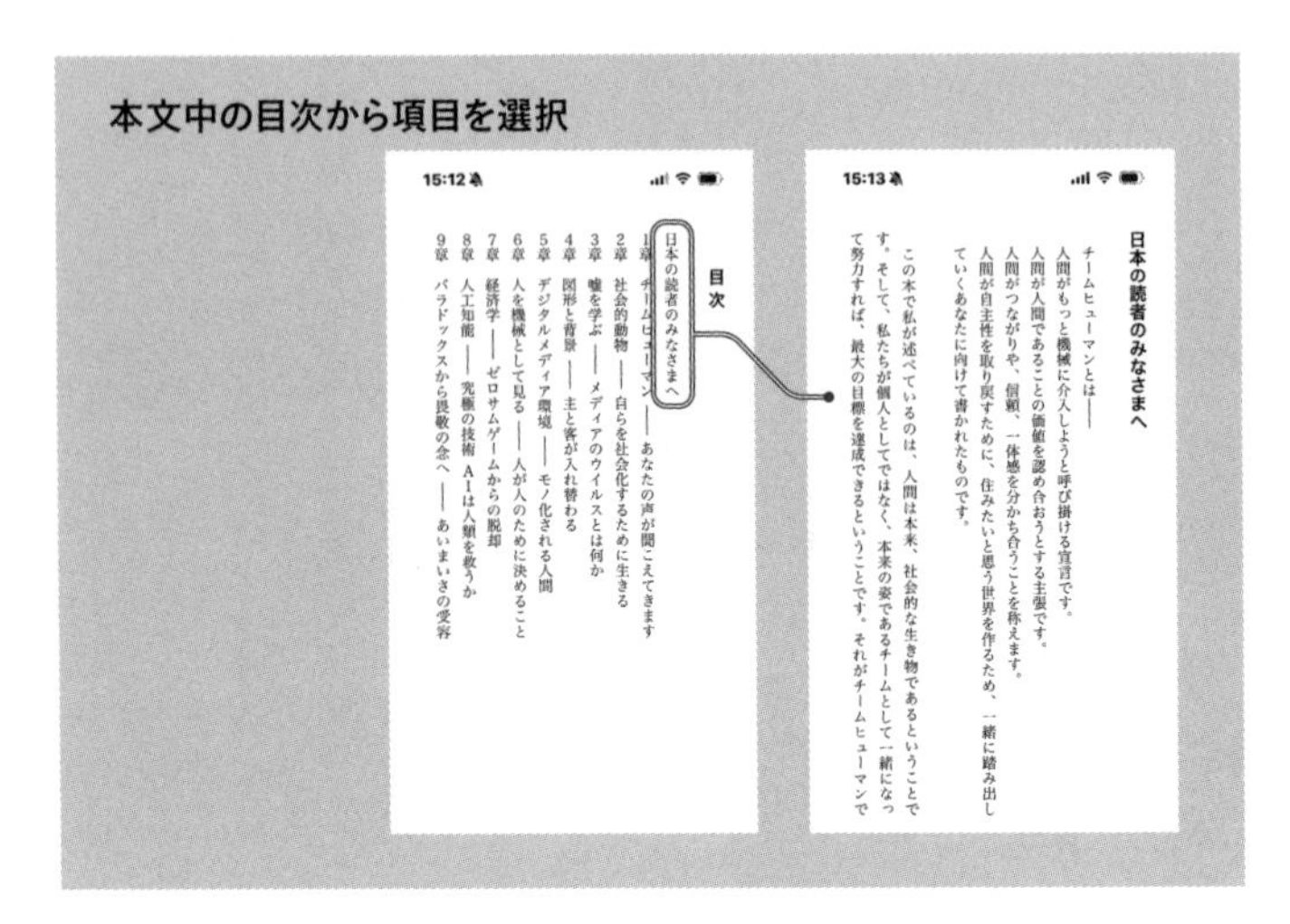

電子書籍リーダーはEPUBのナビゲーション文書を論理目次として表示する

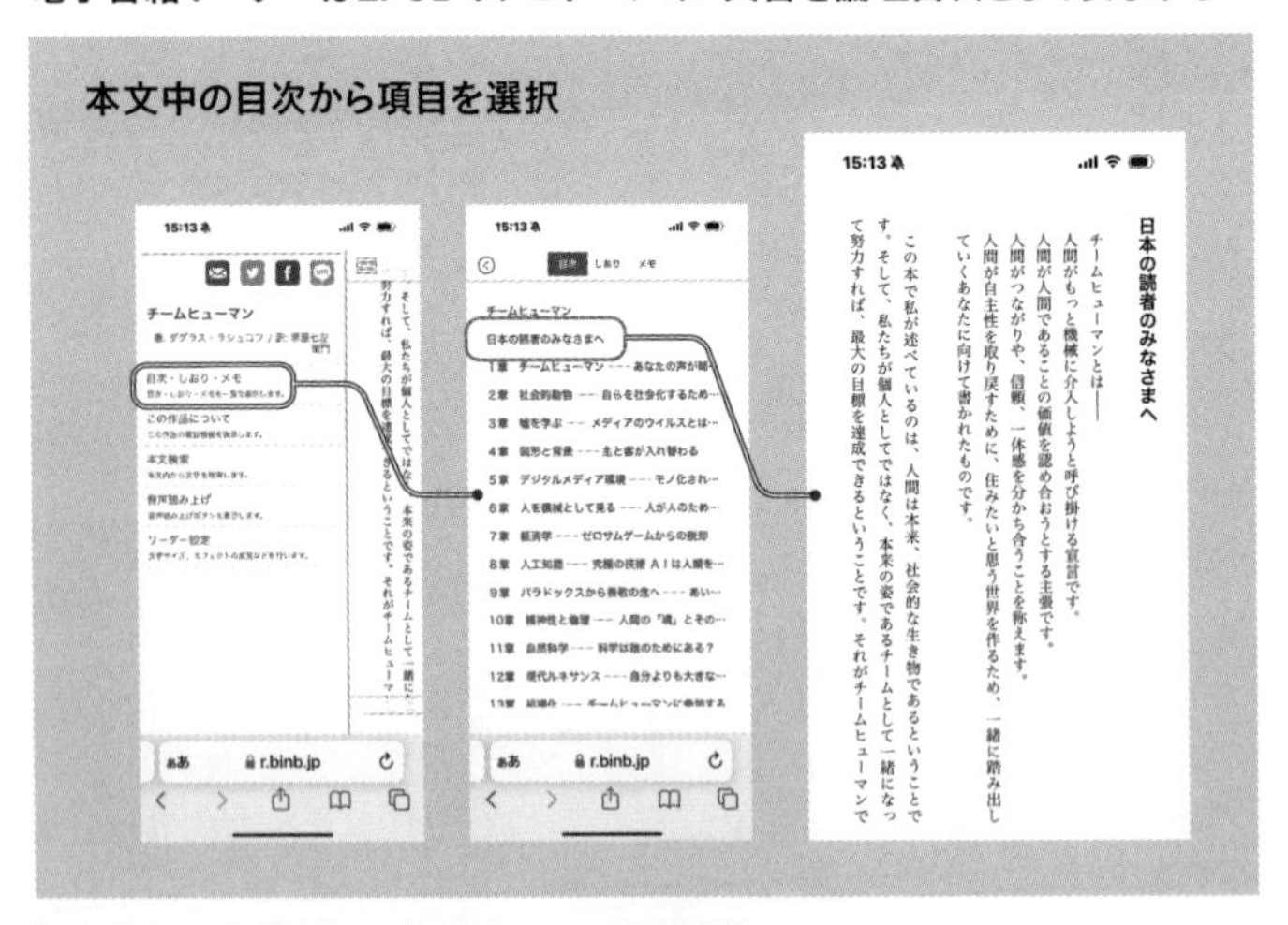

『チームヒューマン』(ボイジャー)/読書システムBinB利用例

第4章　電子書店への登録

DIGITAL PUBLISHING

本を見つけやすく

読者が本を見つけるきっかけは2種類あります。SNSやメールによる著者からの連絡、あるいはインターネット検索です。電子書店で販売する場合も、無料で公開する場合も、著者からのお知らせは最強です。しかし、知り合いが多い人でも数千人というわけにはいきません。読者の大半が利用するのは検索です。

オンラインショッピングの際、どうやって商品にたどり着いたのか、思い出してみてください。検索して、結果を見て、いくつか開いて、比べて……、最後に「購入」ボタンを押すでしょう。こうした検索でもっともよく利用されているのは、シェア90％の「Google（グーグル）」です。グーグルがサービスを公開したのは1998年。それまで、検索といえば多くのページを早く検索することを目的に作られていましたが、グーグルの検索はまったく新しい設計で作られていました。グーグルはウェブサイトのデータを収集し、「PageRank（ページランク）」「アンカーテキスト」「単語」という3要素を組み合わせてどのページがどれだけ役に立っているかをランク付けし、役に立つ検索結果を得ることに重きを置きました。人間の手ではなく専用のプログラムで、サイトから単語とURLを集め、それぞれを数字に置き換えるなどの効率化を図って、インデックスを作り、検索速度を向上させました。

当時のウェブサイト数は2400万。2007年に1億を超え、2014年に10億を超え、2023年6月には11億、ドメインは約2億5000万あるといわれています。これだけのサイトの中から数秒で情報を探せるように、グーグルの情報収集は休むことなく続いています。新たに立ち上がったサイトに対しても、アマゾン、楽天などオンラインショップのサイトに対しても間断なく情報収集を続けています。そのおかげでインターネット検索ができるのです。

出版した本を見つけやすくするための第一歩は、グーグルなどによる情報収集に備えて電子書店などのホームページにデジタル出版の情報を出していくことです。検索結果の順序をコントロールすることはできませんが、検索の対象にすることはできます。

この章では電子書店の仕組み、情報の登録方法を説明していきましょう。検索の仕組みをイメージしながら読んでみてください。

DIGITAL PUBLISHING

電子書店へのデータ登録の仕組み

電子書店はデータベースでできています。読者からは見えませんが、裏側には会員管理、購入管理、作品管理などのデータベースがあります。万一、データベースが消えてしまったら電子書店は動かなくなります。ですから、幾重にもバックアップデータが作られています。勝手に書き換えたりできないように、アクセスする人も方法も厳しく制限されています。

著者が作品を電子書店に登録することは、制作したEPUBファイルを電子書店のデータストレージにアップロードすること、そして作品管理用データベースにデータを入力することです。電子書店では誤ったデータが入力されないよう、データベースに記録する手前でチェックが行われます。自動的に行われるのは、EPUBファイルに対する技術的なチェックと、半角全角、文字数、利用できない文字などのチェックです。

両方のチェックを通過して販売の準備が完了すると、電子書店に作品ページが表示されるようになります。このページが検索の対象です。

作品ページには、書名、著者名、内容紹介、著者紹介などが表示されています。電子書店の裏側はデータベースですから、読者が電子書店にアクセスをして作品のページを開くことは、電子書店のシステムに作品ページを表示しなさいと命令することと同じことです。命令に従ってプログラムが動き、データベースをもとに作品ページが表示されます。

EPUBファイルを完成させるだけでも時間がかかりますので、こうした紹介文章を書くことは案外負担に感じると思います。いざ登録しようと入力を始めたら、項目数の多さに出鼻をくじかれたり、自動的なチェックによって登録を撥ねられたりします。やっと完成したと思ったのにこんな苦労をしなければならないのか、と考えても不思議ではありません。ただここが最後の仕上げです。本を書くほど時間はかかりませんので、頑張ってみてください。

大本のデータを作るのは人です。人はよく間違います。確認してから登録しましょう。デジタル出版点数は日々増えています。電子書店に入力され一度公開されると、修正には数日かかります。

電子書店データベースイメージ

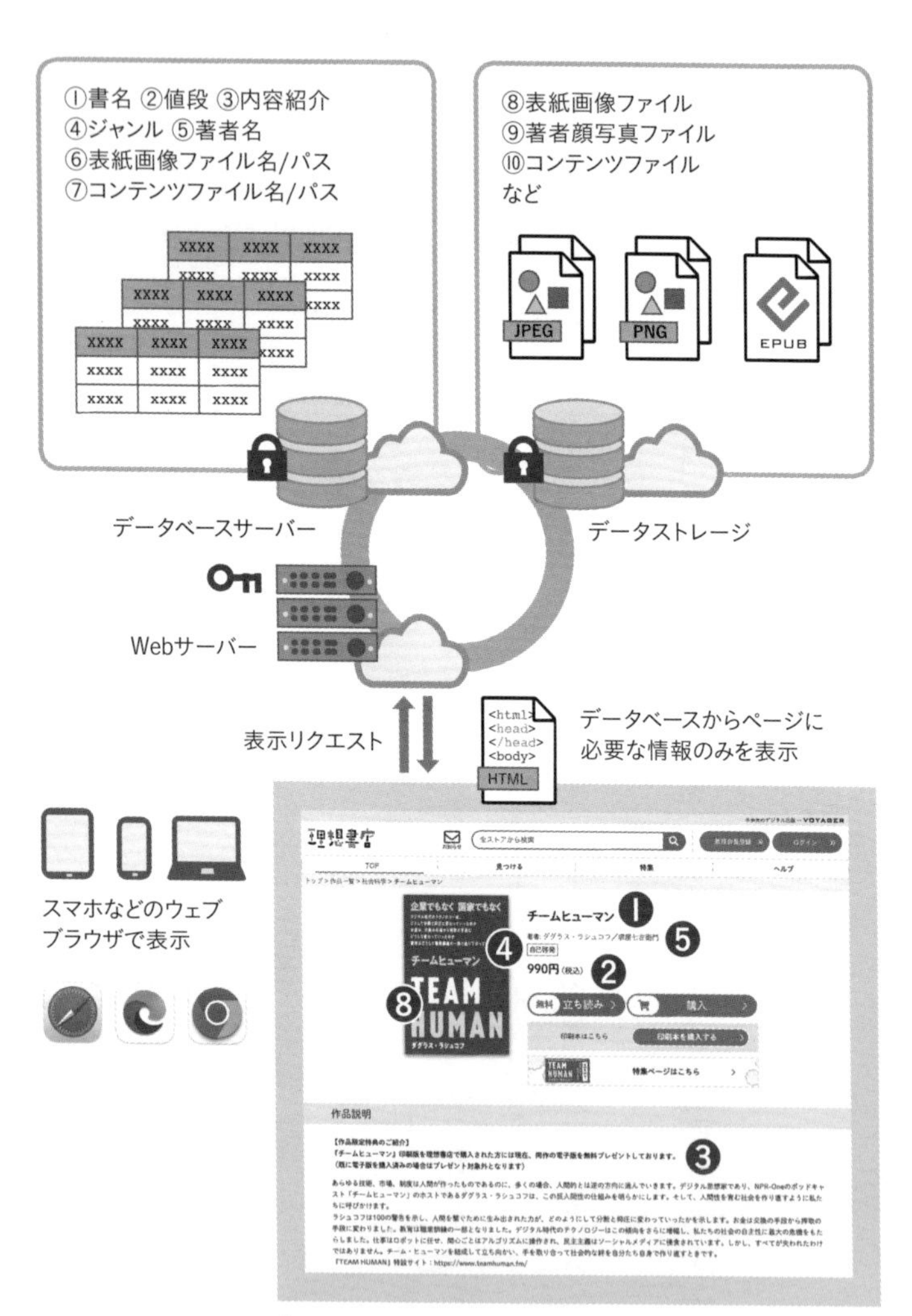

『チームヒューマン』作品ページ ボイジャー理想書店より

DIGITAL PUBLISHING

電子書店へのデータ登録の準備

準備する項目はたくさんあります。電子書店データベースに登録する情報は全て必要です。こうした本の情報を「書誌」と呼びます。検索用語ではメタデータと呼ぶこともあります。本の戸籍みたいなものです。書誌は読者が検索で本を見つけるときに利用する情報です。本を開くまでは読者はこの書誌の情報だけしか見ることができませんから、ここをしっかり準備すれば11億を超えるホームページの中から、ご自分の本の作品ページを見つけてもらえる確率が上がっていきます。機械本位の味気ない入力画面を見ると気力が減衰しますが、なんとか頑張りましょう。

もっとも重要なものは書名、著者名、内容紹介、価格と検索キーワードです。プロは本文と同じくらい力を入れて用意します。

●表紙

サイズ：幅1563ピクセル×高さ2500ピクセル程度
ファイル形式：JPEG

表紙はいちばん難しいです。どうデザインするかが問題です。本に使っている写真やイラスト、あるいはグラフィックサービスなどから無料のグラフィック素材も探してみましょう。「無料」「イラスト」などで検索して、数多ある素材の中から商用利用OKのものを選んでください。書名は大きめにレイアウトした方がいいでしょう。

デジタル出版はスマートフォンで読むのが一般的になっています。スマートフォンは機種ごとに縦横比が違います。紙の単行本は四六判（130ミリもしくは128ミリ×188ミリ）、B5判（182ミリ×257ミリ）が多いのですが、デジタル出版にはこういった決まったサイズはありません。推奨の縦横比は1：1・26〜1・6くらいです。1：1・6の場合、幅1563ピクセル、高さ2500ピクセルです。指定のサイズでグラフィックを作るには、ペイントなどグラフィック作成アプリケーションでキャンバスサイズを設定します。

スマートフォン画面の大きさを意識して作ってみましょう。

●書名

100字くらいまで

書名は読者が最初に目にする本の1行目です。良い書名は、内容が伝わる、読んでみたくなる、印象に残るものであることは間違いありませんが、分かりやすくしようとして長くし過ぎてもよくありません。また「手紙」「告白」「秘密」など一般名詞の短い書名はすでに名のある作家だからこその付け方だと思います。

読者は検索で作品ページにアクセスすると考えると、入力間違いが起きそうな単語を書名に使うのは避けた方が無難です。例えば、「既成」「既製」、「追求」「追及」「追究」、「保証」「保障」「補償」など、間違うと検索されにくくなります。同音異義語の多い日本語ならではの悩みです。

●内容紹介

最低でも300字、最大4000字（アマゾンKindleストアの場合）

ここは踏ん張りどころです。時間をかけて考えてみてください。先ほども書きましたが、読者が検索できるのは作品ページにある文章だけです。

書店から内容紹介文の良し悪しをアドバイスしてもらえると助かるのですが、そういったサービスは一切ありません。他の作品を参考に、検索のことを意識しながら書いてください。目次、執筆のきっかけなどを書いても構いません。

●ジャンル

電子書店が用意している項目から選択

アマゾンにある和書のジャンル一覧が参考になると思います。例えば、「人文・思想」→「教育学」と選択した場合、その次の階層には13項目あります。一般、教育学、教育史、教育心理学、教育行政・法律、学校教育、教科教育、幼児教育、高等教育、障害児・福祉教育、生涯教育、国際理解教育、参考図書・白書が用意されています。

じっくり選びましょう。

ところで本1冊ごとに番号が付いていることをご存知でしょうか。本の裏を見ると「ISBN」から始まり、続いて「C」が付いたジャンルを表す数字と、「¥」が付いた値段を表す数字が並んでいます。「C」の手前の数字は、国番号、出版社記号、書籍番号を順に並べたものです。この番号はISBN（国際標準図書番号：International Standard Book Number）といいます。「C」の後ろを含めて全体で日本図書コード（略称NDC）といいます。ISBNは国際規格ですが、後ろの部分のジャンルの数字（通称Cコード）は日本独自のものです。日本で100年ほど前に米国のデューイ十進分類法を参考に考案されました。

ISBNは国際的な書籍の管理に利用されています。自分のデジタル出版にも付けられるのか、付けなければいけないのか、自分で付けられるものなのか、といった疑問が湧くと思います。ISBNはどうすればいいのでしょう。

ISBNはデジタル出版にも付けることが推奨されていますが、個人の方がアマゾンやアップルで出版する場合は、ＩＳＢＮなしで登録可能です。出版社記号を取得するのは日本図書コード管理センターへの申請が必要ですし、お金もかかります。Ｃコードはアマゾンやアップルでは利用されていませんので、気にしなくても大丈夫です。

●検索キーワード

複数の設定が可能

さらに重要なのがキーワードです。これも本当に悩みます。知らない誰かがいつかどこかで検索しそうな単語などそう簡単には思い付きません。一般的な名詞、固有名詞から5～10個ほど考えてみてください。

先ほど、検索エンジンはホームページにある単語からインデックスを作るとお話ししました。ですから、書名、内容紹介、ジャンルに含まれていない言葉を使った方が検索されるチャンスが増えるということになります。

以上の項目以外に、値段、販売地域、著者名、発行元、発行日、著者紹介などの項目があります。値段、販売地域はデジタル出版ならではの項目です。

●値段

制約あり

アマゾンKindleストアでは、最低価格、最高価格があります。独占販売で提供する場合は、250円～1250円です。

アップルブックスでは、消費税込みの金額で、0円～1000円まで50円刻み、1000円超2000円まで100円刻みで価格を付ける必要があります。税込みなので、消費税が上がると実質的には値下げになります。

電子書店独自のキャンペーンで、値下げする場合もあります。

●地域（選択可能）

日本語のまま、全世界で販売可能

日本語を理解できる人は海外にもいます。2022年の統計では130万人の日本人が海外に住んでいます。電子書店にアクセスできる世界中の人が読者になります。紙の本では国外向け送料が1500円程度はかかってしまい、すぐ読み始めてもらうわけにもいきません。その点、デジタル出版では送料がありません。インターネットを通じて流通されるデジタル出版は便利だといえます。

DIGITAL PUBLISHING

参考資料

一般資料

Netcraft　https://www.netcraft.com/blog/june-2023-web-server-survey/

『Googleを支える技術』西田圭介　技術評論社

『コンピュータ&テクノロジー解体新書』ロン・ホワイト　SBクリエイティブ

『Amazon Kindleストア 電子書籍出版のコレだけ!技』加藤和幸　技術評論社

『Amazon Kindleダイレクト出版完全ガイド無料ではじめる電子書籍セルフパブリッシング』いしたにまさき、境祐司、宮崎綾子　インプレス

Apple Books関連資料

https://authors.apple.com/

https://support.apple.com/ja-jp/HT208716

Kindle Direct Publishing 関連資料

https://kdp.amazon.co.jp/ja_JP

Kindle 和書のジャンル

https://www.amazon.co.jp/gp/browse.html?rw_useCurrentProtocol=1&node
=2313863051&ref_=amb_link_e1u-cNn9O4-kV4hmdIG1dw_44

アマゾン本（和書）のジャンル一覧

https://www.amazon.co.jp/gp/browse.html?rw_useCurrentProtocol=1&node
=465610&ref_=ed_book_seeallcategory

第5章　テーマを見つけて形にしよう

DIGITAL PUBLISHING

書くことは誰でも苦手

ここまで、実例や出版の仕組み、準備方法などを交えながら、デジタル出版が書く人にも読む人にも普通のものになってきたことをお話ししてきました。日々実感しているとおり、社会全体のデジタル化が進みました。PCをはじめデジタル機器が手頃な値段になり、使いやすさに配慮した開発が行われるようになってきました。デジタル出版の制作もその影響を受けています。

以前は文字とグラフィックをどのように組み合わせたいのかを、IT技術者やプログラマーに細かく説明して作ってもらわなければなりませんでした。技術者たちは正確に説明してくださいと言います。こちらは、「正確に」とはどういう説明のことなのか見当がつきません。そのうちに時間もお金も尽きて、やりたいことの大半を諦めなければなりませんでした。第1章でご紹介した方たちは自分自身で制作から公開までこなしています。ここ30年で一番大きな変化です。

ＡＩを使えば簡単だろうと考える方もいるかもしれませんが、そうとも限りません。

私は英語のメールを書くときにＡＩ翻訳を利用しています。日本語の文章をあっという間に翻訳してくれます。でも英語を読むと日本語の意図とは何かが違っています。例えば、日本語で主語を省略している場合、ＡＩ翻訳は私の意図とは異なる別の主語を当てはめてみたりします。人名の性別を取り違えることもあります。高い頻度で敬称を間違います。明らかに間違っているのですからそのまま送ることはできません。もう一度日本語を直して、英語にして、納得できるまで原文と翻訳を行ったり来たりして、やっと完成です。

この間、ＡＩ翻訳は私が言いたいことを作りはしません。考えるのは自分、ＡＩ翻訳はちょっと便利な辞書代わり、そのくらいがちょうどいいと考えています。

「ＣｈａｔＧＰＴ（チャットジーピーティー。ＯｐｅｎＡＩが開発したテキストベースの生成系ＡＩ）」のメッセージ欄に「面白い話を書いて」と入力すると、スラスラと文章が表示されていきます。でもそれは膨大なデータを統計的に処理した結果に基づくストーリーで、自分自身のものではありません。メッセージ欄にどんなリクエストを書けば思い通りの文章が返ってくるのかは誰にも分からないのです。

自分自身のストーリーを書こうとすれば苦労はつきものです。読者が読んでくれたときに、言いたいことが伝わるかどうか、分かってもらえるかどうか。誰でもその問題にぶつかります。文章の中を行ったり来たりします。プロの作家ではないわけですから、編集者を頼ることもできません。先が見えない苦しさです。

芥川龍之介や久米正雄ですら、悩んでいたそうです。大正5年頃の夏目漱石との手紙のやり取りが残っています。漱石は2人への手紙にあせってはいけないと書いています。天才たちですら苦しんでいたのです。『漱石全集　第15巻』からの引用をご覧ください。インターネットのあちこちで手紙全文を読むこともできます。検索してみてください。

（略）勉強をしますか。何か書きますか。君方は新時代の作家になる積でせう。僕も其積であなた方の將來を見てゐます。どうぞ偉くなつて下さい。然し無暗にあせつては不可ません。たゞ牛のやうに圖々しく進んで行くのが大事です。文壇にもつと心持の好い愉快な空氣を輸入したいと思ひます。それから無暗にカタカナに平伏する癖をやめさせてやりたいと思ひます。是は兩君とも御同感だらうと思ひます。

『漱石全集　第15巻』續書簡集（岩波書店、昭和42年2月18日発行）　書簡番号2207

（略）あせつては不可せん。頭を悪くしては不可せん。根氣づくでお出でなさい。世の中は根氣の前に頭を下げる事を知つてゐますが、火花の前には一瞬の記憶しか與へて呉れません。うんうん死ぬ迄押すのです。それ丈です。決して相手を拵らへてそれを押しちや不可せん。相手はいくらでも後から後からと出て來ます。さうして吾々を悩ませます。牛は超然として押して行くのです。何を押すかと聞くなら申します。人間を押すのです。文士を押すのではありません。

『漱石全集　第15巻』續書簡集（岩波書店、昭和42年2月18日発行）　書簡番号2210

苦しさを抜けた先には何かがあります。コツコツと書き進めて行けば分かるはずです。自分自身にしか書けないテーマがあり、書く時間があり、そして道具は揃っています。難しい言葉を使うのか、易しい言葉で語りかけるように書くのか、決まりはありません。自分のスタイルで書いていきましょう。読む人を意識すると、格好良い文章の真似をしたくもなりますが、無理は禁物です。馬よりも牛です。

自分の経験をテーマに

苦労はありますが、本が持つ力を手にするには書くしかありません。社会や政治を批評することもできますし、仕事のことでも何でも、力を注いでいたこと、成功したこと、失敗したこと、傷ついたこと、うれしかったことなどを誰かに伝えることもできます。思い出してみてください。自分にとって刺激があって、誰かに伝えてみたいテーマ……。何か頭に浮かんだでしょうか。テーマは書く原動力です。気楽なテーマとして、例えば旅はどうでしょう。仕事の思い出もテーマになると思います。

私は社会人になりたての頃、先輩社員に質問し過ぎてうるさいと言われていました。その他、契約や損益計算のイロハを手取り足取り教えてもらったこと、プログラマーがPCで日本語の文章を書いているのを見て感心したこと。「Microsoft Excel（マイクロソフトエクセル）」の前身にあたる表計算ソフトを利用して作った契約条件別の損益計算を褒められたことなど、当時、同僚のほとんどはパソコンを敬遠していましたから、表計算ソフトの使い方を分かりやすく書いておけばかなり役に立ったでしょう。本格的なマニュアルを書こうと身構えずに、使う部分だけを取り出してチームで共有するために書いてみればよかったと思います。でも当時の自分には、チームのために書くだけの力がありませんでした。振り返ってみれば、仕事の経験の中にはテーマがたくさんありました。

その後長い間、仕事で必要なソフトの使い方などのメモを書く大切さを忘れていましたが、別の仕事でお手本に出合いました。20年ほど前、複雑な仕様に沿ってデジタルデータを作る仕事をしていました。提供されたソフトウェア開発元の説明書を技術者と一緒に読み解きながら、データを作っていたのです。数社が関わっていたので、状況を聞いてみると、どの会社も面倒だ、複雑だ、この単価では見合わないと悲鳴をあげていました。ところが、ある1社が作ったマニュアルはA4でたったの2ページで、本当に必要な部分だけが正確に抽出されていました。まったく面倒臭さを感じさせませんでした。おそらくその日に配属された新人でもきちんとデータを作ることができたと思います。頭が下がりました。

中途半端な理解ではマニュアルは作れません。書いてみると、仕事の進め方の核心ポイントはどの部分なのかがはっきりします。実践的でなおかつ簡潔にまとまったマニュアルはチーム全員の仕事をやりやすくし、余裕を生み出します。

ベテラン社員が自らノウハウを体系立てて整理しておけば、新人や中途採用の社員が素早く仕事に馴染んでもらえるようになります。どのような書類が必要なのか。どのタイミングでチームに情報を共有するのか。詳細はどの程度までにとどめておくべきか、などは経験を積んだベテランだからこそ書けるテーマです。

自分が関係している製品の魅力や開発秘話を書くのもお勧めしたいテーマの一つです。製品の開発者や営業の経験者が書きやすいテーマです。自分の製品ですから情報が豊富です。資料性も高く価値あるものとなります。また、最初の読者を見つけやすい。これもお勧めする理由です。自社の製品の成り立ちや特徴を書いた文章は開発者と営業のコミュニケーションの手段に使ったり、顧客への説明に使ったり、後進への助言に使ったりすることができます。会社全体の役に立ちます。商社であれば、権利獲得の苦労話や、海外勤務の経験も振り返る価値があるものだと思います。

自分の手で本にする

デジタル出版の第1ステップを簡単にいえば、自分でテーマを見つけ、構成を決め、書くということです。どんな風に書き進めればいいのか、この問いには答えはありません。執筆方法をテーマにした書籍も数多く出版されています。インターネットにもいろいろなホームページがあります。どのやり方も正しいです。

書き進めていき、誰かに見てもらいたいという気持ちが生まれたら、テーマが伝えられそうだと感じたら、まとめる工程に取り掛かりましょう。

紙の出版の場合、この第2ステップは出版社、印刷製本会社や取次業者などそれぞれ専門の企業が分業しています。個人がそこに入り込むのは非常に難しいこと、そして費用がかかることもここまでで説明しました。デジタル出版では本の編集作業を含めて、この部分がまるごと個人の手に委ねられています。

誰に言われたわけでもなく、忘れたくない、書き残したい何かを自分の力で記録する。そして誰かに読んでもらう。人生や時代を振り返り残すことは小さな歴史を記録することです。記録を積み重ね、形にしていくことは文化を育てることです。その活動に誰でも参加できるのが今のデジタル出版です。自分が作った本がスマートフォンの中に生まれるその瞬間を誰よりも早く味わえます。デジタル出版ではそれが自分の手でできるのです。

DIGITAL PUBLISHING

本文ができ上がったら次に行うこと

本の名刺を作る

デジタル出版物ができ上がったら読者に届けましょう。読者に届ける方法のうち、もっとも手軽なものはインターネットを利用することです。デジタル出版のURLをQRコードにし、そのQRコードを名刺やハガキサイズのカードにしましょう。名刺サイズのカードは場所もとりません。

QRコードは愛知県の自動車部品メーカーが自動車の生産管理目的に開発したもので、Quick Responseの頭文字をとってこう呼ばれています。デンソーウェーブが特許と登録商標を持っていますが、オープンソースとして自由な利用を許可したことで世界中に普及しました。QRコードはスマートフォンのカメラで読み取りができます。これも広く利用されるようになった理由の一つです。テレビのニュース番組でもよく見かけます。

QRコードの作成サービスは、会員登録を求められるAdobe Express QRコード作成機能（https://www.adobe.com/jp/express/feature/image/qr-code-generator）もあれば、どうぞご自由にというアスクルのパプリQRコード生成ツール（https://spc.askul.co.jp/portal/print/qrcode）のようなものもあります。

名刺用の用紙はエレコムやキヤノン、エーワンなど、いろいろなメーカーが販売しています。カットする必要がない名刺サイズのものと、カットするタイプのものがあります。マット紙などの光沢のない用紙がほとんどです。光沢のある用紙は名刺の用紙ではあまり見かけません。

国語の授業、最前線！
デジタル出版ツール活用事例に見るICT
大塚葉 編著

学校の先生、必見！
デジタル化で「国語」は“深化”中
先進校はどう活かしている？

着々と進むGIGAスクール構想。
教育現場はどう活かし、どう使うべきか。
「学びの質」を高める教育者必携の一冊。

特設サイト・試読もできます！

電子版 1,100円(税込) / 印刷版 1,980円(税込)
電子版ISBN : 978-4-86689-329-7
印刷版ISBN : 978-4-86689-330-3
四六判 / 144頁 / C0037

大塚葉 編著『国語の授業、最前線！』(ボイジャー)の本の名刺例

表紙を作る

いざ、作ろうとなっても自分でデザインするのは気が重いでしょう。チラシや資料の原稿を書いたことはあっても、デザイン経験のある方はそれほど多くはないでしょう。でも心配はいりません。デジタル出版ツールと同様、デザインツールも存在しています。スマートフォンは普通、縦に持ちます。その持ち方をイメージして表紙を縦長に仕上げてみましょう。

身近なツールの一つが企画書、プレゼンテーション資料を作るときに使っている「Ｍｉｃｒｏｓｏｆｔ ＰｏｗｅｒＰｏｉｎｔ（マイクロソフトパワーポイント）」です。その他、最近学校のＩＣＴ授業などで活用されている無料のウェブサービスの「Ｃａｎｖａ（キャンバ、https://www.canva.com/）」で作成することもできます。

パワーポイントでは、テンプレートからデザインを選択する、ページ設定を１５６３ピクセル×２５００ピクセルに指定する、表紙用のグラフィックを作る、テキストボックスにタイトル・サブタイトル・著者名を入力する、といったステップで作ることができます。

パワーポイントはデザインテンプレートに「デザイナー」ボタンが用意されるようになりました。「デザイナー」ボタンをクリックすると、テンプレートに合わせて別のテンプレートがどんどん生成されます。お好きなものを選べます。

ページのサイズは［ページ設定］ダイアログで［スライドのサイズ指定］から、［ユーザー設定］を選びます。［幅］に半角で「1563px」、［高さ］に「2500px」と入力します。数字だけでなく「px」まで入力します。cmに自動変換され、その後、「大きなスライドサイズに変換しようとしています。コンテンツのサイズを拡大しますか？」というダイアログが表示されます。［倍率］ボタンを押せば設定可能です。

でき上がったQRコードと表紙用のグラフィックは、名刺以外にもハガキや手紙に印刷したり、ご自分のSNSのページに掲載することができます。

表紙ができるとぐっと本らしくなります。作品のイメージに合ったグラフィックを選んで、タイトルと組み合わせて、表紙を作りましょう。

DIGITAL PUBLISHING

デジタル出版30年の成長

デジタル出版が始まったのは約30年前です。スタート当初はPCで読むものでした。インターネットもない、スマートフォンもない、読むべき作品もない、読者もいない。振り返ってみると、私がデジタル出版をメイン事業に掲げて、未来を信じる同志と一緒に株式会社ボイジャーを起業したのは、必要なものが何一つない、そんなときでした。友人から仕事の内容を聞かれてあれこれ説明すると、「何それ。商売になるの?」と笑われたこともありました。

今は数百万点を超えるデジタル出版作品があり、たくさんの読者がいます。多くの人がデジタル出版を手掛けるようになり、アマゾン、アップルをはじめとするグローバル企業の電子書店、国内企業の電子書店、出版社の電子書店など、どこでも入手できます。

究極のデジタル出版はホームページをそのまま本にした形になるかもしれません。ホームページはいろいろなインタラクティブな仕掛けがあって、映像も音声も簡単に再生できるようになっています。検索も自由にできます。その裏側には、実は複数のプログラムや映像、音声の配信サーバーがあります。電子書店で販売するファイルにするためには、そうしたホームページの仕組み全部をファイルに入れなければなりません。ところが、電子書店はこうした特殊なファイルを前提には作られていません。結果として電子書店では販売することができません。

私が考えるデジタル出版は、誰でも作ることができる、誰でも読むことができる、誰でも売ることができる、そして将来にわたって残すことができる。紙の本が担ってきた役割と同じように、文化を育てることに一役買う存在であり続けることです。

派手な演出をすればその分、売る、残る可能性は低くなります。そういった作り方をした作品は、ほんの少し技術が進化しただけですぐに表示ができなくなります。そのことが作った者にとってどれほどの喪失感を与えることか、技術の進歩は一切手加減をしてはくれません。それをデジタル出版と呼ぶのはしんどいことです。

何やら悟ったような捉え方です。私も最初はここまで割り切れてはいませんでした。それなりの時間をかけてやっとたどり着いたのです。

インタラクティブメディアの誕生

今から40年ほど前、私はレーザーディスクを制作する会社に就職しました。大学を卒業したら映像関係の仕事をしたいと考えていたとき、運良く日本初のレーザーディスク向けソフトウェアを制作する会社に就職することができたのです。しかも日本発売前の入社でした。

レーザーディスクとは、ビデオ用のメディアの一種です。規格は1970年代にオランダのフィリップス社によって開発されました。初代のレーザーディスクは、直径30センチの円盤状で、素材はアクリルでした。LPレコードと同じような正方形のジャケットに収めて売っていました。レーザーディスクは世間では馴染みのないものですから「絵の出るレコード」というキャッチフレーズで、LPレコードと同じようなものだけれども、レーザーディスクは映像が出てくる、その特徴を伝えようとしていました。

レーザーディスクの製造工程はいくつかに分けられていました。簡単にいうと、1インチ幅のオープンリールのビデオテープで映像のマスターを作る。レーザーディスク用の信号を入れ込んだテープを作る。そこからガラス原盤を作る。次にアクリル盤に複製するというものです。はんこのように、ガラス原盤からレーザーディスクを量産します。

パコソンやスマートフォン1台でビデオ編集できる今とは違って、マスター作りには最低でも合計3台のビデオテープデッキが必要でした。幅70～80センチ、高さ1メートル50センチくらいの専用ラックに収められたテープデッキです。そのテープデッキが素材テープのために2台、マスターのために1台。埃が1つ付いただけでテープがダメになりますから、空調付きの機材室、専任のビデオ技術者が最低2人、専用の編集卓、正しく色調整したモニター、大型スピーカー、外部の音を遮断できる防音設備付き編集室も必須です。設備投資だけで億単位の費用がかかります。通常、編集室は時間貸しで、1時間の単価は5万円から10万円が相場でした。マスターを作るには根気とお金が必要だということは新人にも十分理解できました。

しばらくしてレーザーディスクとPCを接続して、実験的なインタラクティブ作品の制作を担当するようになりました。

ハードウェアの費用は合わせて200万円超です。その他に映像用のレーザーディスクのマスター作成に最低でも数百万、製造するためにさらに100万円は必要です。

PCのおかげでインタラクティブな作品を作ることができましたが、このインタラクティブなレーザーディスクは少なくとも個人のメディアではありませんでした。

ハイパーカードの衝撃

そんなとき、私の隣にあったのが「Macintosh（マッキントッシュ、アップルのパソコン）」です。全てのマッキントッシュには「HyperCard（ハイパーカード）」というソフトウェアが付属していました。私にとって生涯、これ以上の衝撃を受けたソフトウェアはありません。

ハイパーカードではデータをスタックと呼んでいました。スタックのサンプルとして、住所録や予定表が付属していました。オリジナルのスタックを作りたい場合は、サンプルのパーツをコピーして、自分用にカスタマイズすることができました。

例えば、クリックしたら新しいカードを作るというボタンが必要であったら、住所録からボタンをコピーしてくれれば、そのまま動きました。あちこち覗き見して、同僚の達人プログラマーに相談したりして、オリジナルのものを作ることができました。この達人は後にボイジャーを一緒に創業したうちの一人でした。

アメリカではハイパーカードを生かしたソフトウェア開発が行われていました。オブジェクト指向プログラミングとユーザーインターフェース設計の権威であるアラン・ケイがきっかけとなり、米国のボイジャー社の創業者ボブ・スタインはその嚆矢と呼ぶべき作品を発売しました。

CDコンパニオンというシリーズの第1作『ベートーベン交響曲第9番』です。オーディオCDとハイパーカードを組み合わせたマルチメディア作品でした。当時のマッキントッシュはCD-ROMドライブが付いていませんでした。この作品を楽しみたいユーザーは、みな自分でCD-ROMドライブを購入しなければなりませんでした。それでも第9には圧倒的な魅力がありました。

ほとんどのマルチメディア作品は画面の構成を技術者に説明して作っていくものでしたが、CDコンパニオンはそういったやり方では作られていませんでした。著者のロバート・ウィンターはカリフォルニア大学ロサンゼルス校（UCLA）の音楽学理の教授でした。講義ではLPレコードを使い、あらかじめ中心から○センチ○ミリと距離をメモしておき、的確にフレーズを再生していたといいます。それが、100分の1秒単位で、思うままにオーディオCDと連動させることができ、しかも文章や楽譜のグラフィックを使って解説ができたのです。知識の全てをぶつけたかのような出来栄えの作品となりました。

著者がプログラマーに頼らずに自ら作るというやり方は、コンテンツの魅力を生む源泉であり、原動力であることの証でもありました。

私にとってハイパーカードとマッキントッシュは自転車のように軽やかでした。まるで羽ばた

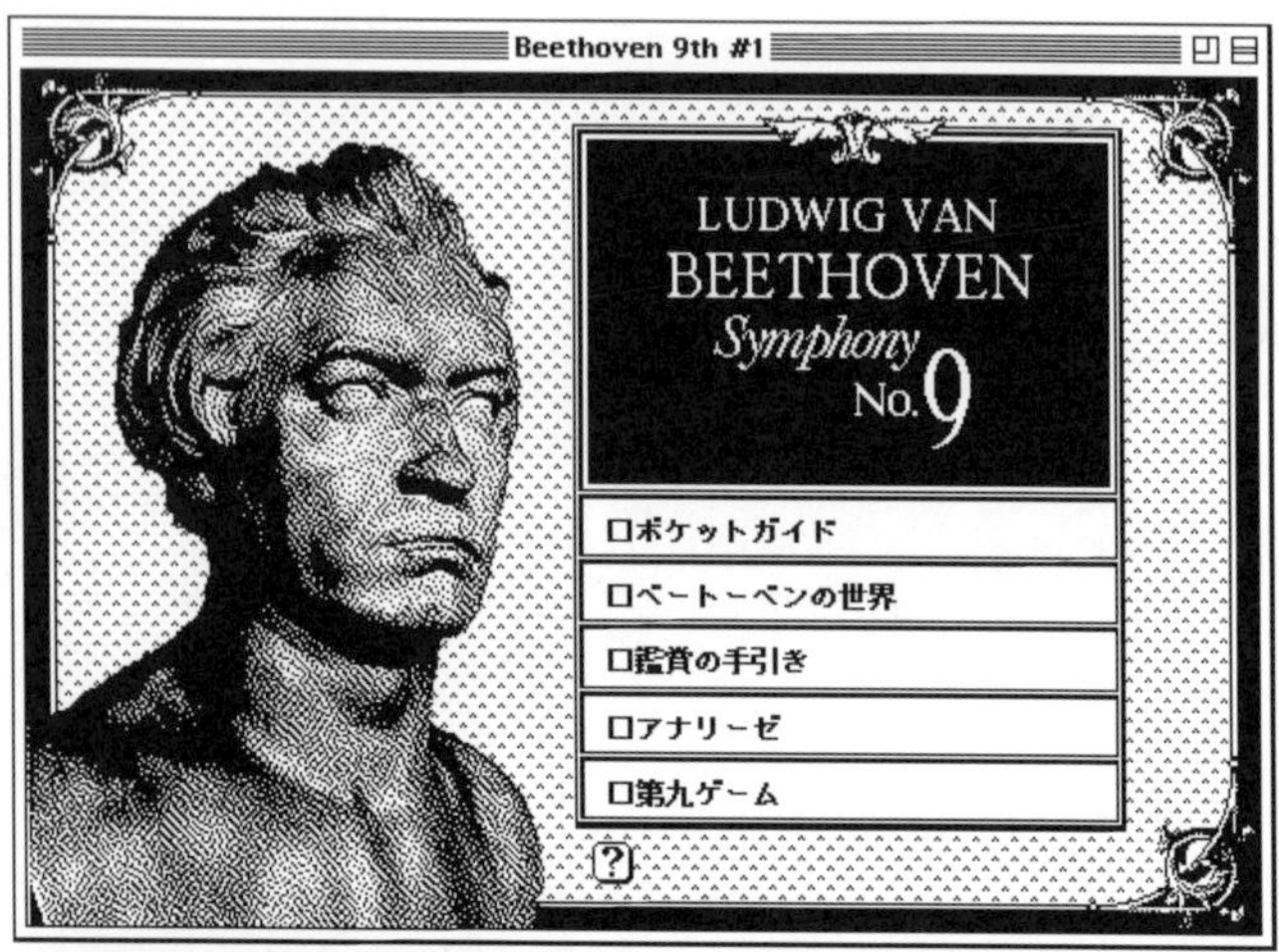

日本語版『ベートーベン交響曲第９番』の画面
1989年 オリジナル英語版発売ののち、日本語版も制作された。画面は512×342ピクセル、白黒であった。その後、マイクロソフト社が ウィンドウズ用に移植。当時、この種のソフトを「エデュテイメント・ソフト」と呼んでいた

くための道具のように感じました。カラーのマッキントッシュが発売される頃にはもう我慢できずに購入していました。自宅で深夜まで遊んでいました。

一方、レーザーディスクは戦車か軍艦のようでした。個人では作ることもできず、動かすこともできません。数億円かかった編集室で数百万円を上回る予算でマスターを作り、合計数百万円の再生機器がなければ見ることもできない作品を作っていた私にとって、ハイパーカードはまったく違う世界でした。

自由への憧れがどんどん大きくなっていきました。自分の手で思う存分作れることが、私が手に入れたいものだと確信するようになりました。そして、レーザーディスクの制作会社を退職し、先ほどお話ししたように起業のミッションに電子出版の実現を掲げた株式会社ボイジャーを創業しました。無謀な行動ですが、メンバーが他に3人もいたので怖さはありませんでした。

目の前には音楽CDとマッキントッシュとハイパーカードで作られた作品があるのです。ロバート・ウィンターが自分の講義をまるごと新しい本の形にしたように、ハイパーカードと情熱があれば、心の底から納得できるものが作れる、そう考えるようになりました。

エキスパンドブックツールキット

1992年、米国のボイジャー社は世界最初のデジタル出版ツール「エキスパンドブックツールキット」を発売しました。ハイパーカードをベースにしたツールです。これが最初のパンフレットです。下記のように書かれています（キャプション参照）。

頭の中はマッキントッシュ愛でいっぱいです。こんなに面白い世界がある、みんな分かってくれると意気込んでいましたが、現実は甘くありませんでした。営業すると話は聞いてくれるけれども乗ってきてくれないのです。新潮社だけが、もしも縦書き表示、書籍らし

IT TOOK OVER FIVE HUNDRED YEARS TO PUBLISH THE FIRST ELECTRONIC BOOK.
IT WILL TAKE A FEW HOURS TO PUBLISH THE NEXT ONE.

訳：最初の電子書籍を出版するのに500年以上かかりました。
次の本を出版するには数時間でしょう。

い書体、Ｗｉｎｄｏｗｓ（ウィンドウズ）対応、これらを実現できたら作品を発売しましょう、と約束してくれました。

毎日、瀬戸際にいましたから必死でした。大日本印刷の協力を得て、秀英明朝体という書体を提供していただき、ウィンドウズとマッキントッシュの両方で動くハイブリッド版を作り、日本初の電子出版ツール、エキスパンドブックを開発しました。新潮社は約束通り作品を出してくれました。『新潮文庫の１００冊』という１００冊入って、１万５０００円のＣＤ-ＲＯＭを発売し、それが3万冊売れました。4億５０００万円の売り上げです。

一気に市場が開けると思ったのですが、そうではありませんでした。ほとんどの出版社は後ろ向きでした。出版社曰く「パソコンで本を読むわけがない、目が疲れる、持ち運びできない」。人間ってこんなにやらない理由を見つけられるのかと、感心するくらいでした。

決して口に出して説明してくれませんでしたが、出版社にはデジタルテキストデータと、電子出版の権利がありませんでした。それを用意するには、お金がかかる。市場が小さいからお金はかけられない。だからやれない、ということだったのです。

そしてもう一つ、決定的なことがありました。１９９０年代から２０００年代にかけて、大変な勢いでパソコンが進化していきました。パソコンのハードが新しくなると、ＯＳごと進化します。ソフトウェアがあちこち動かなくなりました。CD-ROMですから、製造もやり直しです。画面サイズもどんどん大きくなります。誰でも読めるように、と最小画面に合わせると余白ばかりが大きくなってしまいました。お店も読者も、私たちも困りました。

リフロー型電子書籍の登場

CD-ROMのマルチメディア作品が限界を迎えた頃、ボイジャーは日本初のリフロー型電子書籍の表示用アプリケーションと専用のファイル形式を開発しました。「T-Time（ティータイム）」と「.book（ドットブック）」です。画面サイズはこれからも変わるに決まっている。ひょっとしたら解像度も変わるかもしれない。であれば、画面に合わせるような表示方法で再スタートすることにしました。エキスパンドブックのときには動かなかった出版社も、少しずつ前向きになっていきました。新潮社、講談社、集英社、角川書店（現KADOKAWA）が出版社直営の電子書店「電子文庫パブリ」での販売に、ドットブックを採用してくれました。

本格的に市場が拡大し始めたのは、さらに10年ほど後のことです。スマートフォンが発売になり、EPUBという世界標準の電子書籍の規格が決まってからです。ドットブックは一気に吹っ飛びました。もっと力があれば、独自のファイル形式にしがみつけたかもしれません。ボイジャーの規模では捨てるしかありませんでした。

「IDPF(International Digital Publishing Forum)」に参加して、日本語の書籍のためのEPUB 3の規格作りにも参加しました。振り出しに戻った感じです。電子書籍の読書には表示用のデジタル端末、表示用のアプリケーション、ファイル、オーサリングツール、流通の仕組みが必要です。「三つ子の魂百まで」とはよく言ったもので、ふたたび、EPUB 3のオーサリングツールと読書ビューアから開発することにしました。

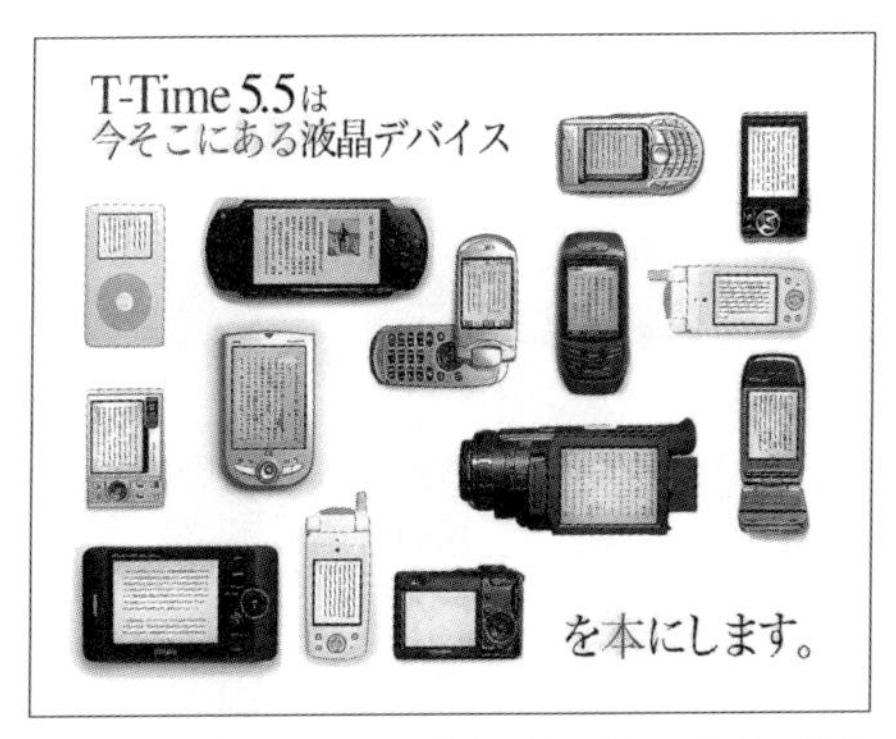

T-Time 5.5プロモーションビデオより。ドットブックの特性を生かし、ゲーム機からデジタルカメラまでデジタル機器の液晶画面に合わせたリフローをし、画像化する機能を紹介した

いっそのことインターネット

今現在、ボイジャーが提供している電子出版関連のサービスは特定のOSを前提としていません。ウェブブラウザを対象としています。

OSの進化に打ちのめされた経験から、アプリケーションを諦めて、一か八か、ウェブブラウザを利用したサービスに切り替えました。切り替えるきっかけを作ってくれたのは、先ほどもご紹介した米国ボイジャー社の創業者ボブ・スタインでした。日本のボイジャーの創業者の一人で初代社長の萩野正昭に対して、見るべきものがあるとすればこれだ、とオライリー社とインターネットアーカイブが共同主催していた「Books in Browsers Conference」の開催を教えてくれました。

2010年秋、萩野は参加者100人の小規模なこのカンファレンスに参加しました。ブラウザの中に本がある、というコンセプトは後の読書ビューア「BinB（ビーインビー）」のきっかけとなりました。翌年、私も参加しました。びっくりしたことにこのカンファレンスでは、参加者は発表者であると同時に聴講者でした。参加した個人、企業などのほとんどが自分の体験や技術について話すのです。質問も飛び交います。日本のカンファレンスで、資料をもらって座って聞くだけのものに慣れきっていた私は目を見張りました。

ともかく、ここで得たヒントを使って前へ進もうとしました。無論、開発は難航しました。ボイジャーの技術陣の一人北原昌和が、リフロー型のEPUB 3を表示できそうだと言ってきました。2年後、リリースしたB・inBは電子書店からも好評でした。携帯電話からスマートフォンに移行する端境期で、表示ソフトを探していた大手電子書店が採用を決めてくれました。同時に、電子出版の制作サービス「ロマンサー」を開発し、これらが多くの電子出版関係者の方や読者に受け入れてもらえたのです。

電子書店からもらったいちばんうれしい言葉は、ウェブブラウザで「読む」というボタンを選んだだけでデジタル出版が表示され読めるので、サポートの手間が激減したというものでした。誰でも読める、すぐに読めるという基本姿勢を褒めてもらったように感じました。制作者からは、今まで電子書店の入稿検査を通過できなかったが、ロマンサーを使って作ったら、何も問題なく販売ができたという言葉をもらいました。

デジタル機器のメーカーが性能を競い合う限り、いずれの機器も短命です。平均5年で買い替えられています。そのOSに限定した環境は、つまり5年の命です。B・inBとロマンサーで、汎用性を求め、EPUB 3のシンプルな表現に照準を合わせる開発をするようになったのは、こうした全てを諦めた経験があったからです。

B・inBのようにウェブの中で表示すると、便利なこともあります。例えば、ブラウザに備わっている自動音声読み上げで、その場でオーディオブックに変身させることができます。その他、インターネットの中にあるリソースから好きなものをリンクさせることもできます。文章が短くとも、文脈次第で大きな可能性を持てると思います。

加速するデジタル出版

50代は人生の途中からデジタルが入ってきた世代です。デジタルに慣れるまでに努力と忍耐が必要でした。年齢を重ねるにつれて新しいことを覚えるまでの厳しさも増していきます。厳しさを乗り越えてデジタルを使えるようになった世代です。

次の世代は違います。彼らは生まれたときからデジタルに親しんでいます。先ほどご紹介したキャンバや、デジタル出版がすでに存在する社会で育ちます。自分でお金を使うようになったときには迷うことなくデジタルのメリットを選ぶようになるでしょう。この変化がデジタル出版の普及をさらに後押しすると思います。

経済的な要因も普及に一役買うでしょう。自動車に例えるとデジタル出版は燃費が良いのです。第一に制作費が格安です。加えて工程上、印刷、製本、倉庫、運搬といった要素自体がありませんから、これらの費用がかかりません。ただ、ウェブサーバー、データストレージの維持費用などは発生してしまいます。

製紙業界では、円安、燃料の値上がりの影響を受け、２０２３年から紙代を15～25％値上げしています。書籍流通の要である書籍取次は物流・運送業界の「２０２４年問題」といわれるドライバー不足の影響を受けると思われます。必然的に従来の価格構造では採算が立たず、紙の本は値上げせざるを得なくなるでしょう。廉価版の形態は減少して、所有欲を満たせるような華麗な装丁を施したハードカバーの単行本が増えていくのかもしれません。

電気自動車の電費はガソリン車の燃費の半額以下、しかも環境に優しいと聞きます。こういった理由で電気自動車を選ぶドライバーが増えるのならば、デジタル出版のメリットを選ぶ人も増えていくでしょう。

おわりに

こうしたお話ができたのはやはり、インターネットが社会全体に浸透したからでしょう。アナログからデジタルへ、インターネットは産業革命に匹敵するインパクトがあるといわれています。コミュニケーション方法や情報の取得方法を根こそぎ変えてしまいました。メールやSNSを考えてみると、私たちがどれだけ自然にその変化を取り入れてきたかが分かります。FAXも手紙もなくなってはいませんが、大多数の連絡はメールやSNS、つまりインターネットです。

すでに大きな変化が始まっています。けれども、私たちは社会変化が起きているときに自分の身には降りかかってこないと考える傾向があるように思います。

出版社にとってデジタル出版はそれと同じものなのかもしれません。どの出版社もホームページを本の宣伝に使っています。新刊のニュースを掲載したり、作家講演会の案内を載せたりしますが、出版自体は紙がよい、アナログで続けるべきだと考えている出版関係者もいます。果たして紙の新刊は増え続けていくでしょうか。

出版は人類の知恵の象徴です。500年間、紙の本として知識の継承に役立ってきました。現在ではインターネットで調べることが増え、図書館に出かけて調べることは減っています。場所を取らない、今すぐ手に入るという理由でデジタル出版を選ぶこともあります。便利な方法に慣れてしまうと元には戻りません。インターネットが普及して、世界標準のファイル形式、データを置くクラウドのサーバー、オンライン決済、スマートフォンでの表示、デジタル出版に必要なインフラの要素が整った結果、出版は一つの節目を迎えています。

営利活動としての出版では、いまだに紙の本が主流であることは確かです。一方、個人の出版では、これからは紙だけではありません。やり方を理解できれば、誰でも挑戦することができます。デジタル出版が主流になるのは間違いないでしょう。

デジタルは雨のように誰の頭上にも降り注ぎ、あらゆるものを変えていきます。これからはデジタルが当たり前なのです。だからこそ、デジタル出版に挑戦してみてほしいと思います。ご自分の考えやノウハウを伝えるのに本という残る形は最適です。

拙著を最後までお読みいただき、ありがとうございました。

2024年春　鎌田純子

鎌田純子（かまた じゅんこ）

1957年生まれ。北海道大学薬学部卒。株式会社ボイジャー代表取締役。1981年レーザーディスク株式会社（後のパイオニアLDC）入社。レーザーディスクの市場導入、作品の企画制作に従事。1992年、ボイジャー創立に参加、デジタル出版への取り組みを開始。ボイジャーにて、マルチメディア初期からの叩き上げ経験をもとにCD-ROMの制作、WEBのプロデュース、出版ツール「エキスパンドブック」「T-Time（ティータイム）」の企画開発・営業・販売を担当。

現在、電子書籍の読書リーダー「BinB（ビーインビー）」、デジタル出版ツール「Romancer（ロマンサー）」を推進中。ボイジャー刊行書籍の担当作品多数。『マニフェスト 本の未来』『ベストセラーはもういらない』『やつるぎ村』、デジタル一滴シリーズ統括など。2013年より現職。

趣味：料理（最近は加熱水蒸気オーブンレンジを利用したレシピにハマっている）。中国語を勉強中（華語文能力入門基礎級取得）。韓流ドラマ鑑賞。

50代から始めるデジタル出版

定年で名刺を失う前に考えよう

発行日　2024年4月29日

著　者　鎌田純子

発行者　鎌田純子

発行元　株式会社ボイジャー

〒150-0001 東京都渋谷区神宮前5-41-14

電話　03-5467-7070

電子版：ISBN978-4-86689-344-0

印刷版：ISBN978-4-86689-345-7